TURQUOISE

Extraits du catalogue

Collection Turquoise

Turquoise Médaillon

Turquoise Sortilèges

GEORGINA HARDY

FIÈRE REBELLE

Collection Turquoise

PRESSES DE LA CITÉ
9797 rue Tolhurst, Montréal H3L 2Z7 - Tél.: 387-7316

© *Presses de la Cité 1981*

ISBN 2-258-00946-4

© *Les Presses de la Cité, Montréal 1982*

ISBN-2-89116-132-7

1

— Aziyadé ! C'est le portrait d'Aziyadé, s'écria Mlle Dieulefit en exagérant un peu, car Anicia n'avait rien de commun avec la nonchalante héroïne de Pierre Loti, sinon le costume.

Mais Bernadette Dieulefit, professeur d'Histoire de l'Art, bénéficiait de l'aimable faculté de voir la vie en rose. Passée la quarantaine, elle s'obstinait à avoir deux fois vingt ans. Sa nature généreuse, une candeur préservée, l'aspiration aux sensations nobles entretenaient chez elle un enthousiasme touchant.

Elle ouvrit un petit livre aux tranches dorées, relié de maroquin bleu Nattier.

— Ecoutez, dit-elle d'une voix vibrante aux deux jeunes filles assises auprès d'elle. « Aziyadé portait une de ces vestes à longues basques dont les femmes turques d'aujourd'hui ont presque perdu le modèle, une veste de soie semée de roses d'or. Un pantalon de soie jaune descendait jusqu'à ses chevilles, jusqu'à ses petits pieds chaussés de pantoufles dorées… »

Anicia pensa que ses pieds n'étaient pas d'exquises miniatures. D'ailleurs, elle détestait les pantoufles, de même que les peignoirs et toutes les fanfreluches du confort féminin.

L'armoire à glace de la chambre d'hôtel lui renvoyait une image des plus approximatives de la version littéraire de Mlle Dieulefit.

— « Sa chemise de gaze de brousse, lamée d'argent, poursuivit la lectrice comme si elle suçait un bonbon, laissait échapper des bras ronds d'une teinte mate et ambrée, frottés à l'essence de rose »...

Anicia possédait de beaux bras sains, musclés et dorés, des bras de nageuse. Quant à l'essence de roses... elle n'en avait jamais senti de sa vie et pour rien au monde ne s'en fût mis sur la peau.

— « Ses cheveux bruns étaient divisés en huit nattes si épaisses, que deux d'entre elles auraient suffi au bonheur d'une femme occidentale... Nouées au bout par des rubans jaunes mêlés de fils d'or à la manière des femmes arméniennes. » Il est vrai que vous n'êtes pas arménienne, reconnut-elle, soulagée, en quelque sorte, du remords de sa trahison envers la vérité historique.

— Non, je suis Kurde ! s'écria Anicia.

Le feu qui flamba dans ses prunelles violacées surprit Mlle Dieulefit qui se promit de vérifier s'il n'y avait pas résurgence d'antique animosité entre Arméniens, Anatoliens, Kurdes, Grecs, Chrétiens, Juifs ou Musulmans. Allez savoir dans ce pays composite !

— « Une masse de petits cheveux courts et rebelles formaient un nimbe autour de ses joues rondes, au teint chaud et doré. »

« Passe pour les cheveux courts et rebelles, se dit Anicia, mais en ce qui concerne les joues rondes ! Plutôt creuses, mes joues. »

— Ah ! Il y a des cheveux courts et rebelles, souligna Mlle Dieulefit avec satisfaction.

Anicia avait les mâchoires à peine arrondies qui établissaient un visage plutôt allongé, d'une grâce sauvage. Un beau nez droit, comparable à ceux dont les sculpteurs grecs paraient leurs statues, anoblissait la physionomie. Des sourcils écartés, un peu trop fournis pour répondre à l'esthétique des salons de beauté, remontaient vers les tempes et exprimaient une sorte d'interrogation exigeante autour d'admirables grands yeux bleus. Des yeux limpides comme des lacs de montagne et susceptibles de passer brusquement de la sérénité aux noirceurs violacées de l'orage.

Mlle Dieulefit jeta un coup d'œil sur la suite du portrait d'Aziyadé par son amant et, n'y voyant rien de circonstance, referma son précieux petit livre.

— Qui était Aziyadé ? demanda Anicia.

Mlle Dieulefit s'apprêta à répondre avec la patience enjouée acquise au cours de ses années de professorat.

— Le nom d'une jeune Turque..., commença-t-elle.

— Vous avez dit Arménienne, coupa Anicia.

— C'est cela, Arménienne, rectifia Mlle Dieulefit. Elle a été aimée par un jeune officier de marine français nommé Loti, mais leur amour était une folie...

— Pourquoi ?

— Aziyadé était l'épouse d'un homme riche qui l'avait achetée alors qu'elle n'était encore qu'une enfant.

Anicia blêmit.

— Et c'est ce genre de roman que vous aimez ? s'écria-t-elle. Et l'Anglais, quel genre de type c'était ?

Mlle Dieulefit se lança dans une explication périlleuse.

— Un jeune homme de bonne famille. Il aimait Aziyadé à la folie...

— Ils couchaient ensemble ?

Mlle Dieulefit eut l'air gênée.

— C'est plus délicat que cela...

— Je ne vois pas ce qu'il y a d'indélicat à se donner totalement quand on aime.

— Sans doute, mais il faut tenir compte des mœurs de l'époque, surtout en Turquie.

— A cette époque, on trouvait naturel d'acheter des femmes, dit Anicia, en fronçant les sourcils, et, se tournant vers la vieille demoiselle : votre histoire, elle se termine bien ?

Mlle Dieulefit cilla et avala sa salive.

— Non... pas très bien.

— Ils ne s'aiment plus ?

— Oh ! Non. Aziyadé meurt. Elle meurt d'amour.

— C'est lui qui est mort le premier, alors ?

Mlle Dieulefit ferma un instant les yeux et reprit avec courage :

— C'était un officier de marine ; obéissant à son devoir, il a dû rembarquer à bord de son navire de guerre.

— Pourquoi n'a-t-il pas déserté, puisqu'il aimait tant sa maîtresse ?

Anicia lança un regard noir à l'image du costume d'Aziyadé reflétée par la glace.

— Son honneur le lui interdisait. Pensez donc, il était marin et Anglais ! s'écria Mlle Dieulefit. Mais ne pouvant supporter l'absence de sa bien-aimée, il quitte l'Angleterre, revient en Turquie pour apprendre la mort d'Aziyadé. Alors, il s'engage dans l'armée turque et tombe au champ d'honneur.

— Ça se passait à quelle époque ?

— Vers 1876.

— Vous pensez qu'une pareille histoire pourrait se répéter de nos jours ?

Mlle Dieulefit posa un regard ému sur la jeune fille.

— Oui des hommes peuvent toujours mourir d'amour !

Anicia releva le menton avec défi.

— Moi, je ne ressemble pas à votre Arménienne et je refuse de me déguiser en femme vendue !

Mlle Dieulefit agita les bras.

— Voyons, Anicia, il ne s'agit que d'un costume. N'est-ce pas, Irène, qu'il lui va très bien ? fit-elle cherchant du secours auprès de l'amie d'Anicia qui, elle-même, portait un costume turc.

— Bernadette a raison, approuva Irène.

Mlle Dieulefit ajouta maladroitement :

— Tout le monde sera costumé.

— Pas moi, décréta Anicia en ôtant rageusement sa tunique.

— Prenez garde, vous allez tout déchirer !

— Tu seras la seule à ne pas être dans la note, dit Irène. C'est le seul moyen de te faire remarquer.

— Eh bien, je n'irai pas.

Et s'adressant à Mlle Dieulefit :

— Votre roman est une ânerie. C'est avec ce genre de littérature sirupeuse que l'on endort les esprits, et votre Loti est un pauvre...

— Oh ! non ! supplia Mlle Dieulefit en portant les mains à ses oreilles.

— Anicia, qu'est-ce qui te prend ? réprimanda Irène. Tu es folle, ou quoi ?

Anicia avait éparpillé son costume sur la moquette. Elle apparut en slip et soutien-gorge, dans la splendeur de son jeune corps. Mlle Dieulefit détourna pudiquement les yeux et sortit.

— Et voilà, tu as gagné ! s'écria Irène, mécontente. Tu as fait de la peine à Bernadette.

Anicia haussa les épaules.

— Elle m'agace avec son côté fleur bleue.

— C'est ridicule de ne pas vouloir te déguiser.

— J'ai l'impression de me dégrader en faisant le guignol dans une fête futile.

Elle s'assit sur l'un des lits jumeaux.

— Pour qui te prends-tu ? Pour Jeanne d'Arc ? fit Irène en haussant les épaules.

— Je me prends pour qui je suis, cela me suffit : je suis la fille de Halit Erksan, un Kurde persécuté qui a dû fuir son pays, et la sœur de trois patriotes morts pour leur peuple !

Irène s'assit et passa un bras autour des épaules de la jeune révoltée.

— Tu es comme une écorchée vive, dit-elle tendrement. La vie n'est pas un perpétuel combat ; il faut profiter des bons moments. Tu n'as donc jamais entendu parler du repos de la guerrière ? ajouta-t-elle en plaisantant.

Anicia rit malgré elle.

— Même pour Jeanne d'Arc ?

— Il y a des accommodements avec le ciel, quand c'est pour la bonne cause, il serait temps que tu t'en aperçoives.

Anicia se renversa sur le lit et posa son menton sur ses poings.

— Tu me pousses à la débauche, je croyais que tu devais veiller sur moi ? fit-elle amusée.

— Je veillerai sur toi, ne crains rien.

— Oh ! Je te fais confiance. Je sais que tu es une femme de devoir, comme dit le docteur Minfray, fit comiquement Anicia en imitant le patron de la clinique où toutes deux avaient fait un stage d'infirmière.

Leur rire joyeux retentit dans la chambre.

— Ah ! Mon Dieu, c'est si bon de rire, s'exclama Irène. Quelle chance d'être invitées à la soirée de Cyrille ! Il paraît que les îles des Princes sont magnifiques. La terre y est toute rouge, les autos sont interdites, on n'y voit que des carrioles à cheval, décorées comme des jouets. L'armateur turc qui donne la fête a une somptueuse propriété. Tu te rends compte, une nuit dans une île des Princes ? Je m'en voudrais de rater ça !

— Je n'ai jamais vu de prince, fit rêveusement Anicia. C'est comment, un prince ?

— Il y en a de toutes sortes. Il y a les princes hindous ; ils portent des boas en plumes autour du cou ; les princes hongrois survivent en vendant les poils de leurs longues moustaches dont on fait des archets pour les violons tziganes...

— Arrête, je n'en peux plus ! supplia Anicia, secouée de rire.

— Les princes italiens sont dans la couture et donnent du fil à retordre aux riches Américaines qui les épousent. Et puis, il y a les petits princes qui posent pour les timbres-poste ; ils sont très collants. Les spécimens les plus rares ont été regroupés sur des îles de la mer de Marmara. Ils sont très méfiants. Essaie d'en attraper un, si tu n'es pas millionnaire !

— Tu es complètement remontée ! fit Anicia au comble de la joie.

— De temps en temps, j'ai du vent dans les voiles...

Elles restèrent un moment silencieuses, puis Irène dit posément :

— Cyrille Beaufort n'est pas un prince, mais il a de la classe. As-tu remarqué comme il est aux petits soins pour nous ?

— C'est un homme bien élevé, c'est tout, fit Anicia d'une voix un peu trop indifférente. Il est riche, tout lui est facile.

— Sans doute, mais il y a des riches qui sont désagréables ; lui il a le don de se rendre sympathique.

— C'est utile dans les affaires.

— Tu es injuste. Il est très estimé, à Marseille. D'ailleurs, je ne comprends pas qu'il ne soit pas marié.

— Monsieur fait la fine bouche. Il ne se prend pas pour le premier venu !

— Il pourrait répondre, comme toi : « Je suis qui je suis, et cela me suffit ! » rétorqua malicieusement Irène.

— Pauvre de moi ! Quand on est Cyrille Beaufort, on peut se contenter de ce qu'a été papa !

— Je crois que sur le terrain de la fierté, il n'aurait rien à t'envier. Mais il ne faut pas confondre fierté et muflerie ; je crois que ce serait de la dernière des impolitesses de ne pas aller à cette soirée après avoir accepté son invitation.

— Tu crois ? soupira Anicia.

Irène lui pressa la main.

— Pense aussi à Bernadette. Tu lui as flanqué un de ces coups en démolissant *Aziyadé,* son beau roman d'amour !

— Pauvre Bernadette.

— Elle est si romanesque ! Tu ne trouves pas que c'est merveilleux, à son âge ? Mais, toi, tu ne peux pas apprécier.

— Tu me prends pour une sauvage ? répliqua Anicia.

— Non, ma chérie, mais tu te cuirasses, comme si le monde entier complotait pour te faire renoncer à tes décisions héroïques.

— Je n'ai pas le droit de penser à l'amour ! dit farouchement Anicia.

Irène lui accorda un regard qu'elle voulait empreint d'une grande sagesse. N'était-elle pas l'aînée ?

— L'amour vous tombe dessus sans crier gare, fit-elle.

— Toi aussi, tu lis des romans à l'eau de rose, fit Anicia sur un ton moqueur.

— Evidemment ! Et, pis encore : je m'endors en rêvant au Prince charmant !

Anicia sourit :

— Je parie qu'il a une blouse blanche?

Il n'y avait pas si longtemps, Irène avait été très amoureuse d'un interne de l'hôpital. Son amie feignit ne pas entendre. Elle ramassa les éléments éparpillés du costume d'Aziyadé.

— Alors, que décides-tu?

Anicia avait du mal à capituler.

— Qu'est-ce que tu crois?

— Fais à ton idée, conseilla Irène avec désinvolture. Ce n'est pas la peine de venir à contrecœur. Mais, réfléchis bien: une soirée dans une île des Princes ne se présente pas tous les jours. Moi, j'irai. Je m'en voudrais d'être à Istanbul et de rester enfermée dans une chambre d'hôtel.

— Tu sortirais sans moi?

— Tiens habille-toi, dit Irène en déposant le costume sur le lit. Je vais prévenir Bernadette que tu as changé d'avis.

Anicia se leva d'un bond.

— Eh! attends, s'écria-t-elle. Dis-lui bien que je ne suis pas une Aziyadé.

Son amie passa la tête par l'entrebâillement de la porte qu'elle s'apprêtait à refermer.

— Crois-tu que ce soit vraiment nécessaire?

2

La nuit était tiède et embaumée ; Anicia se promenait à pas lents dans le jardin de myrtes et de térébinthes. Au passage, ses doigts fuselés effleuraient les magnolias. Au-dessus des massifs verdoyants, les cyprès se découpaient sur un ciel d'un bleu sombre et intense où brillaient des millions d'étoiles.

Un éclairage savant ménageait ombre et clair-obscur et parait le somptueux décor d'un charme magique. Une sono diffusait des airs de danse à la mode et, sur ce fond musical, des personnages d'un temps révolu évoluaient en un ballet d'une grâce désuète. Tels des automates de Nuremberg, ils sortaient par des portes-fenêtres d'une belle demeure de style ancien, faisaient un petit tour et rentraient dans la lumière des lustres de cristal.

Les femmes avaient abandonné les voiles arachnéens et les *tchartchafs* qui dissimulent le visage, ne laissant apparaître que les yeux. Leurs costumes de soie, richement brodés, offraient une gamme de couleurs éclatantes : rose thyrien, vert pistache, jaune citron, bleu céruléum et les nuances suaves des tons pastel. Les hommes empruntaient un air martial, vêtus de tuniques chatoyantes aux manches bouffantes, ceints de ceintures supportant des armes damasquinées. Des turbans bleus plus ou moins volumineux les coiffaient avec plus ou moins de bonheur.

La soirée avait débuté par un concert de musique turque jouée sur des instruments anciens. Puis un groupe de danseurs s'était produit dans un *karlissima*, long dialogue poétique chanté et dansé, au cours duquel les filles font face aux prétendants possibles. Les cheveux sont couverts et, pour éviter tout contact, au cours de la ronde, les danseurs se tiennent par les coins d'un mouchoir.

Anicia avait vivement apprécié la danse en regrettant que les danseurs, des étudiants, en fissent un gagne-pain.

Cyrille ne fut pas de son avis :

— C'est un moyen pour faire survivre les traditions.

— C'est du spectacle, ça ne correspond plus à un acte profond et vrai, significatif, dit Anicia avec vivacité.

Cyrille et Sephan bey, leur hôte, assis sous un arbre dont les branches ployaient sous des grappes de fleurs pourpres, devisaient, un verre à la main.

Les habitudes ancestrales étaient tenaces. Tout au long des siècles, les hommes de ce pays ont vécu, en public, séparés des femmes. Ils se rendent encore seuls à la mosquée. Les femmes accomplissent leurs dévotions à la maison. Aujourd'hui encore, dans les classes évoluées où l'on peut entendre les derniers disques *made in U.S.A.,* les hommes ont encore tendance à faire bande à part.

Mlle Dieulefit, visitant un lycée mixte au cours de l'un de ses tout premiers voyages en Turquie, dans les années soixante, avait été frappée par la ségrégation de fait des élèves.

— Il y avait une cinquantaine de garçons par classe pour une dizaine de filles, racontait-elle. Elles étaient placées aux premiers rangs, sous l'œil du maître. Jamais un garçon ne se serait avisé de s'asseoir auprès d'une fille ; il eût risqué le renvoi. Il était très mal vu, pour ne pas dire interdit, qu'un étudiant adressât la parole à l'une d'entre elles, fût-elle de sa classe. Les garçons prenaient le car en groupes pour rencontrer des jeunes filles de villes éloignées.

Ce genre de propos faisait bondir Anicia. Elle avait fait ses études à Marseille, ayant quitté son pays natal à neuf ans. Elle en avait vingt. Son père, Halit Erksan, opposant au régime qui refusait de reconnaître l'identité kurde, avait été contraint à l'exil après la mort de ses trois fils tués au combat. Il avait débarqué à Marseille avec femme et enfant, tous ses biens renfermés dans une valise en carton. Un comité d'entraide aux réfugiés lui avait procuré un emploi de docker. La vie fut pénible pour les expatriés. Mais, la France, terre d'asile, leur fit place. Halit travailla durement et ses hautes capacités intellectuelles lui permirent d'apprendre le français au point d'accéder à un poste de direction dans une société d'import-export avec le Moyen Orient.

Anicia n'envisageait pas des études contraignantes. Nature de feu, elle ne pouvait rester en place. Eprise de justice et rebelle à toute sujétion, elle se jetait sans cesse à corps perdu dans des conflits avec l'autorité. Cette attitude contestataire lui causa les pires ennuis dans tous les établissements scolaires qu'elle visita successivement, jusqu'au jour où plus aucune porte ne s'ouvrit devant elle.

La rencontre d'Irène, infirmière, fut décisive pour son avenir. Brusquement, elle fit volte-face avec l'impétuosité qui la caractérisait. Elle devint une étudiante exemplaire. Elle passa brillamment ses examens et devint infirmière.

Irène travaillait dans une clinique de luxe. Elle proposa à Anicia de l'y faire entrer, mais celle-ci préféra l'hôpital où elle put déployer son énergie au bénéfice des déshérités. Elle s'y tailla une solide réputation. Les malades l'adoraient. Les internes redoutaient sa vigilance impitoyable.

— Vous vous amusez, Anicia ? fit une voix prudente.

Mlle Dieulefit, en sultane, s'était approchée sans que la jeune fille y prêtât attention.

Anicia lui sourit gentiment. Mlle Dieulefit qui redoutait une rebuffade, s'épanouit.

— Quel charmant tableau ! s'écria-t-elle. Vous avez vu ce merveilleux clair de lune ? Le *mehtap,* le clair de lune sur la Corne d'or, était cher à Pierre Loti... Il aimait à se promener en caïque doré sur les eaux du Bosphore, serrant entre ses bras sa chère Aziyadé... Le bateau de sa maîtresse, avec ses tapis et ses coussins et le raffinement de la nonchalance orientale, le faisait songer à un lit flottant plutôt qu'à une barque.

Elle rougit, se rappelant soudainement les réticences d'Anicia envers le roman de Pierre Loti.

— Ce devait être merveilleux, dit doucement Anicia.

Les paupières fardées du professeur battirent.

— Nous sommes tous transfigurés par la baguette d'un magicien, comme dans un conte oriental, fit-elle avec une joie naïve. Regardez Cyrille comme il est beau, ne dirait-on pas un prince des *Mille et Une Nuits ?*

Anicia fit la moue. Elle nourrissait une prévention envers les grands de ce monde. Puis, elle se détendit en se rappelant ce que Irène avait dit à propos de l'endroit où la soirée se déroulait.

— Ne sommes-nous pas sur une île des Princes ? dit-elle en souriant.

— Vous-même portez un nom de princesse, fit Mlle Dieulefit avec un fin sourire.

— Ça m'étonnerait, fit Anicia, méfiante.

— Anicia Juliana a vécu au vi^e siècle avant Jésus-

Christ. C'était une femme de caractère. Pour ne pas donner son or à l'empereur Justinien, elle fit fondre tous les objets d'or qu'elle possédait. Elle en obtint des plaques dont elle se servit pour recouvrir l'église de saint Polyeucte, à Istanbul. Personne n'eut l'idée d'y regarder et c'est ainsi qu'elle sauva son trésor.

Anicia écouta l'anecdote avec un air ravi et elle joignit son rire au petit rire satisfait de Mlle Dieulefit.

Elle s'aperçut que Cyrille ne cessait de l'observer. Dès la première heure, il avait exercé sur elle une puissante attraction. Elle l'avait rencontré à une réunion des *Amis des Hittites,* une association d'amateurs d'art antique dont Mlle Dieulefit était la présidente-fondatrice.

Cyrille avait mis à la disposition de cette dernière une pièce de l'hôtel particulier, siège de sa société maritime. Les familles Beaufort et Dieulefit étaient implantées de longue date à Marseille. Au xviie siècle, les Beaufort armaient pour la Compagnie des Indes et les Dieulefit s'illustraient dans la magistrature.

Ce soir-là, Cyrille avait veillé à son bureau. Il en profita pour examiner la projectionneuse dont il avait abandonné l'usage aux *Amis des Hittites* et dont se plaignait M. Leminet, comptable en retraite, promu projectionniste.

A la vue de Cyrille, le cœur d'Anicia avait fait un bond dans sa poitrine. Il l'avait longuement regardée. Elle lui avait tourné le dos pour cacher son trouble.

Mlle Dieulefit était intarissable au sujet de Cyrille. Elle mettait son célibat au crédit d'un cœur épris d'absolu : « Il n'aimera qu'une fois ! » disait-elle sentencieusement. A l'entendre, il était traqué par toutes les mères de la bonne société ayant une fille à marier.

Dans son dos, on plaisantait son engouement. Il y avait une bonne dose d'innocence dans le cœur de la vieille fille et si l'on souriait, c'était sans méchanceté. Elle parlait de l'amour avec enthousiasme et avait pour commenter *le Baiser* de Rodin des accents d'une ferveur qui trouvait un écho chez les plus insensibles.

Cyrille était grand et mince. « Près de ses os », pensa Anicia en l'examinant à la dérobée. Cette expression, chère à son père, exprimait la rigueur musclée, au physique comme au moral. Ce n'était peut-être pas la véritable personnalité de Cyrille — elle ignorait tout de sa vie privée — mais c'est ainsi qu'elle le vit et qu'elle s'en éprit.

Aussitôt, elle se dit : « Je ne veux pas l'aimer ! » Ce qui était la meilleure façon de ne penser qu'à lui.

Ce soir-là, il s'attarda après avoir montré patiemment l'utilisation correcte de l'appareil à M. Leminet. Après la séance de projection de diapositives sur la peinture murale de Toueun Houang, il proposa à Mlle Dieulefit de la reconduire en voiture. Elle ronronna de gratitude et déclina l'offre car M. Leminet, qui venait de passer son permis de conduire, lui avait proposé d'étrenner sa 2 CV.

— Mais vous pourriez raccompagner Anicia et Irène, suggéra-t-elle.

Anicia s'apprêtait à refuser quand Irène accepta avec empressement.

Marquant nettement sa préférence, Cyrille déposa Irène en premier. Le dépit qu'elle en ressentit n'échappa pas à Anicia qui en fit le reproche à l'armateur, dès qu'ils se retrouvèrent seuls dans la puissante B.M.W.

L'agression laissa Cyrille pantois.

— Eh bien ! fit-il, vous ne mâchez pas vos mots ! Si je vous déplais à ce point, pourquoi avez-vous accepté que je vous raccompagne.

— C'est Irène.

— Vous n'avez pas protesté.

Elle se contenta de hausser les épaules. Il rit doucement.

— Ainsi, c'est vous, Anicia. Bernadette m'a souvent parlé de vous.

— Ah, oui ? fit-elle feignant l'indifférence.

— Notre rencontre n'a pas l'air de vous émouvoir beaucoup.

— Vous vous attendiez à une rencontre au sommet ?

— Diable, non : j'étais prévenu.

— Par Bernadette ? Elle vit dans une bulle et parle à tort et à travers, fit Anicia avec humeur.

— Dites-moi, vous avez l'air d'avoir un fichu caractère !

— Ça tient de famille.

— C'est vrai, vous êtes turque.

— Je suis kurde ! releva-t-elle d'une voix grondante.

Il s'excusa, faussement contrit :

— Oh ! pardon. J'ignorais que la distinction fût si importante.

Elle dévisagea avec dureté l'homme qui parlait avec désinvolture d'un sujet qui lui tenait à cœur.

— Assez importante pour qu'on en meurt, fit-elle sèchement.

Impressionné, il abandonna le ton de la plaisanterie :

— Excusez-moi, je n'avais pas l'intention de vous offenser ; et encore moins de vous faire de la peine. C'est vrai, votre père est réfugié politique. On a tendance à ne pas penser à ce genre de chose. Me pardonnerez-vous ?

— C'est fini, n'en parlons plus, dit-elle sans le regarder.

Elle fut touché par sa sincérité, quand il reprit :

— Voilà un exemple du mal de notre époque : l'indifférence. De part le monde, des peuples sont asservis, des enfants meurent de faim, on commet des crimes atroces contre la dignité humaine et chacun poursuit son bonhomme de chemin.

— Dieu se charge des péchés des hommes, remarqua Anicia amèrement.

— Ne me donnez pas mauvaise conscience.

— Ne vous dérobez pas.

— Ma foi, je me conduis en bon démocrate. J'exerce mes responsabilités tout en m'efforçant de bien traiter mon personnel.

— Comme il est gentil ! Il traite bien son personnel ! Vous lui offrez bien sûr un arbre de Noël que vous comptez dans vos frais généraux ?

Le visage de Cyrille s'empourpra.

— On ne me parle pas sur ce ton-là, petite sotte, fit-il avec emportement. Que savez-vous de la vie ? J'ai autre chose à faire que de distribuer des tracts ou de défiler avec une pancarte. Chaque chose en son temps et chaque chose à sa place.

— C'est aussi mon avis : vous dans votre grosse voiture et moi, à pied ! Arrêtez-vous, je descends.

Elle chercha à tâtons la poignée de la portière.

— Vous n'êtes pas dans votre steppe, ici. Conduisez-vous en personne civilisée. Je ne vous laisserai pas dans ce quartier à cette heure de la nuit ! Je vous déposerai à votre porte.

— Je vous ai ordonné de m'arrêter !

Elle ouvrit la portière. L'air frais s'engouffra dans la voiture. Il lui saisit le poignet. La portière battit. La voiture fit une embardée et heurta la bordure du trottoir.

Cyrille, hors de lui, se tourna vers la jeune fille.

— Vous n'êtes qu'une petite peste ! Mon train avant est fichu. Il va falloir que je conduise ma voiture au garage, vous croyez que je n'ai que ça à faire ?

Il referma la portière. Elle se tassa sur son siège.

Il conduisit rageusement jusqu'à chez elle, attendit qu'elle fut entrée dans l'immeuble et repartit dans un crissement de pneus.

Son père l'attendait, l'œil fixé sur la pendule. Anicia savait que sa mère ne dormait pas et qu'elle guettait son retour, derrière la porte close de la chambre conjugale.

— Qui t'a raccompagnée ? demanda son père.

— Un ami de Bernadette.

— Un jeune fou qui se prend pour un champion. Qu'est-ce que c'est que cette façon de conduire. Il a dû réveiller tout le quartier.

— Pas du tout. C'était M. Beaufort.

Il s'était assombri.

— Que fait-il, cet homme ?

Elle répondit, criant presque :

— Il est armateur. Tu ne connais pas les Messageries Beaufort ?

Il fit peser sur sa fille un regard soucieux, comme s'il voulait courber cet être indocile sous le poids de sa puissance paternelle. Mais il vieillissait. Il reconnaissait en Anicia la violence de son sang. Il devait de plus en plus souvent faire appel au cœur plutôt qu'au devoir d'obéissance. Il se redressa.

— Va te coucher, dit-il d'une voix bourrue.

Elle lui baisa la main et entra dans sa chambre.

Cyrille revint à d'autres réunions des *Amis des Hittites* et Mlle Dieulefit se félicita de ce soudain intérêt de l'armateur pour l'Antiquité.

— Les Hittites ne le laissent plus indifférent, dit-elle avec un air entendu.

Anicia ne portait pas à l'Histoire de l'Art un intérêt passionné et la bonne demoiselle serait tombée des nues si elle avait connu la véritable raison de la présence de la fille d'Halit Erksan à ses réunions.

Des nationalistes kurdes échappés de Turquie étaient venus rendre visite à Halit. Ils apportaient des nouvelles tragiques. La persécution contre leur peuple s'intensifiait. Refoulés dans les montagnes du Kurdistan, des hommes, des femmes et des enfants survivaient dans un état de malnutrition chronique. Faute d'hygiène et de soins, ils étaient décimés par la maladie.

Anicia écouta en pleurant ces récits déchirants. Les hommes qui les racontaient pleuraient eux aussi.

Conjointement, elle lut dans un journal le témoignage bouleversant d'un médecin courageux qui rentrait du Kurdistan. Il dénonçait la passivité des nations devant le génocide des Kurdes. Un médecin et une infirmière français avaient été arrêtés par les Turcs pour avoir soigné des rebelles. Ils risquaient des peines de cinq ou dix ans d'emprisonnement et ce que l'on savait des prisons turques faisait frémir.

Anicia était restée en contact avec les éléments durs de la résistance kurde et l'idée lui vint de lutter pour son peuple. Elle n'en souffla mot à son père dont elle redoutait le véto — trois fils tués pour la bonne cause suffisait dans une famille.

Elle avait entendu parler des *Amis des Hittites* par Irène dont les parents connaissaient Mlle Dieulefit. Celle-ci projetait un voyage collectif au pays de ses chers Hittites.

Anicia imagina qu'il lui serait aisé de faire pénétrer des médicaments et des instruments médicaux au Kurdistan sous le couvert d'un inoffensif groupe de touristes.

Onze années s'étaient écoulées depuis l'exil de son père et le nom des Erksan ne devait plus figurer sur les fiches de la police des frontières. Elle collecterait les médicaments chez les médecins et les laboratoires et se procurerait, par des achats ou des dons, des instruments médicaux qu'elle expédierait à une adresse sûre d'Istanbul fournie par ses amis résistants. Une fois au Kurdistan, elle passerait chez les rebelles. Elle parlait le kurde, ce qui n'était pas le cas des soignants bénévoles.

Et l'argent du voyage ? Elle ferait des gardes de nuit chez des particuliers. Cela payait bien. Elle ne douta plus du succès et se mit au travail avec ardeur.

Irène ne tarda pas à remarquer sa fatigue due aux nuits de veille s'ajoutant aux journées d'hôpital et son intérêt insolite pour certains médicaments. Pressée de questions, Anicia dut lui confier son projet.

— Tu es devenue complètement folle ! s'écria Irène.

Irène avait le cœur tendre. Elle se prit de curiosité pour les Kurdes et, ayant mesuré l'atrocité de leurs conditions d'existence, elle voulut accompagner Anicia. Elle était convaincue d'avoir, sur sa bouillante amie, une influence modératrice.

— Vous êtes passionnée par les Hittites ? demanda un jour Cyrille à Anicia.

— Autant que vous-même, répondit-elle sans sourciller.

C'est qu'il avait décidé de participer au voyage du groupe et elle était vivement contrariée. Elle redoutait sa sollicitude. Elle voulait avoir les mains libres. Et elle devait s'avouer avec agacement que la présence de Cyrille la troublait.

— Je suis étonnée, surprise, abasourdie, confondue et ravie, mes chères petites, avait confié Mlle Dieulefit aux deux amies. Cyrille s'est pris de passion pour les Hittites !

— Grâce à vous, Bernadette, fit Irène malicieusement.

On discuta du circuit. Mlle Dieulefit aurait bien passé ses journées au musée hittite d'Ankara et campé sur les ruines de l'antique Hattusa. Cela ne faisait pas l'affaire d'Anicia, qui voulait aller dans l'Est. Habilement, elle amena Cyrille à son point de vue. Elle le crut accommodant, alors qu'il ne songeait qu'à l'apprivoiser. Les autres membres du groupe se laissèrent convaincre : ils désiraient en voir le plus possible en un temps record.

Bertrand Dubois-Lagrume, jeune commerçant dynamique, trésorier de l'Association, comptait rapporter, à bon compte, un Hereke en soie : « Le tapis est un excellent placement, dit-il, et les frais du voyage s'en trouvent amortis. »

3

— Succomberiez-vous au charme des nuits ottomanes ? demanda Cyrille avec ironie. Venez danser.

— Je ne danse pas, répliqua Anicia d'un ton abrupt.

Il soupira, résigné.

— Le contraire m'eût étonné.

— C'est vrai. Je ne sais pas, avoua-t-elle.

— Comment ? Vous ne savez pas danser !

— Ça ne m'intéresse pas, dit-elle avec dédain.

Il approuva vigoureusement.

— Vous êtes au-dessus de ces plaisirs futiles.

— De toute façon, ce serait ridicule avec nos costumes ; il ne nous manquerait plus que des faux-nez et des mirlitons.

— Un petit sourire ! fit une voix joyeuse accompagnée d'un flash.

Raymond Courtois, l'un des membres du groupe qui ne quittait pas Mlle Dieulefit, venait de les photographier. Commissaire-priseur à Aix-en-Provence, c'était un homme replet et affable qui se déchaînait dès qu'il avait en main son appareil-photo.

— Quel couple adorable, ne trouvez-vous pas, Raymond ? s'exclama Mlle Dieulefit.

Raymond Courtois souriait béatement sous un énorme turban violet qui dissimulait sa calvitie.

— Je les ai pris en plein mouvement, au 500e. Je suis sûr de les avoir dans la boîte... Avec les nouvelles pellicules à grande sensibilité on est à peu près sûr de réussir tous les clichés...

Ils s'éloignèrent. Mlle Dieulefit écoutait avec une extase distraite les explications techniques auxquelles elle n'entendait rien.

Cyrille et Anicia s'assirent sur des poufs disposés autour d'une table basse au plateau de cuivre ciselé sur lequel était un vase d'œillets.

— Je ne vois plus Irène, dit Anicia.

— Elle est avec Sephan bey. Comment trouvez-vous notre hôte ?

— Je n'ai pas d'opinion.

— Il est d'une gentillesse désarmante et d'une grande fidélité en amitié, comme le sont les Turcs. Dès qu'il a su que je venais, il a insisté pour donner cette fête magnifique en mon honneur. Il a un sens de l'hospitalité peu commun. Il a tenu à ce que j'amène mes amis. Il vous trouve absolument charmante. Il vous a comparé à une foule d'animaux adorables et à des sucreries qui fondent sous la langue.

Anicia ne parut pas convaincue.

— C'est un Turc et pour un Turc je ne puis être qu'une Turque des montagnes ; c'est ainsi qu'ils appellent les Kurdes. Un général turc, Gursel disait : « Crachez au visage de quiconque vous dit que vous êtes kurde. » Moi, j'en suis fière !

— Si vous détestez les Turcs à ce point, pourquoi venir en Turquie ?

Prise de court, elle louvoya :

— J'avais envie de revoir un pays que j'ai quitté à neuf ans.

— Mais ce que vous considérez comme votre pays, c'est le Kurdistan, insista-t-il.

— Je reverrai le Kurdistan.

— Toute cette dépense et ce voyage pour entrevoir des montagnes et des pierres ? Anicia vous me cachez quelque chose.

— Cela me regarde, dit-elle d'une voix assourdie.

— Je commence à vous connaître. Vous êtes impulsive, mais néanmoins méfiante ; généreuse, mais agressive ; vous vous croyez maligne, mais vous avez des naïvetés enfantines.

Elle tourna vers lui des yeux qui lançaient des éclairs.

— Pensez ce que vous voudrez, ça m'est bien égal !

— Savez-vous que vous êtes fatigante ? fit-il impatienté.

— S'il ne tenait qu'à moi, vous auriez tout le temps de vous reposer. Vous n'aviez qu'à bronzer sur votre yacht avec vos belles amies !

— Vous voilà repartie dans votre lutte des classes ! Vous ne réussirez pas à me rebuter. D'ailleurs, vous êtes très belle quand vous êtes en colère. Vous crachez le feu et vos yeux brillent comme des poignards.

Exaspérée, elle s'écria :

— Vous n'êtes pas un homme.

— Comment pouvez-vous en être certaine ? fit-il goguenard.

Elle s'élança pour se lever de son pouf.

— Si vous étiez un homme, vous ne vous laisseriez pas traiter comme ça par une femme.

— Vraiment ? Mais savez-vous que moi aussi je peux me conduire en goujat ?

Il l'empoigna par un bras et malgré sa résistance, la renversa sur ses genoux pour la fesser d'une main vigoureuse. Elle écarquilla des yeux épouvantés. Nul cri ne sortit de ses lèvres serrées. La main claquait les fesses rebondies sous la soie du pantalon bouffant.

Lorsqu'il jugea la démonstration suffisante, il la repoussa. Ivre de rage, elle tomba et demeura assise sur son séant endolori.

Soudain, un éclair jaillit. Anicia se releva d'un bond. Raymond Courtois qui venait d'assister à la fessée avec ébahissement, battit l'air de ses bras courts.

— J'ai appuyé machinalement... Un simple réflexe... balbutia-t-il.

Anicia s'empara du vase d'œillets — la délicate fleur des poètes orientaux —, et le lança à la tête du photographe. Mlle Dieulefit poussa un cri d'effroi. Le vase était en cuivre. Raymond Courtois se tint le visage entre les mains.

— Mon œil, gémit-il.

Cyrille attrapa Anicia à bras-le-corps.

— Cela suffit, à présent.

— Il veut me ridiculiser.

— Je vous assure que je ne l'ai pas fait exprès, larmoya Raymond Courtois.

— Venez, mon pauvre ami, je vais vous poser une compresse glacée sur votre œil, dit Mlle Dieulefit.

Cyrille entraîna Anicia à l'écart pour la soustraire à la curiosité des invités. Elle tremblait de tous ses membres.

— Je ne sais pas ce qui m'a pris.

— Moi, non plus. (Il lui releva le menton avec douceur.) Vous êtes imprévisible.

Elle leva vers lui des yeux d'un bleu lumineux où s'attardaient des ombres violacées. Il lui prit les lèvres et ils échangèrent un baiser profond qui la fit vaciller.

Etourdi, radieux, il murmura : « Mon amour ! »

— Vous profitez de ma faiblesse pour m'embrasser ! cria-t-elle.

Et elle lui flanqua une gifle à toute volée.

Il demeura stupéfait. Elle s'enfuit en courant tandis qu'il passait une main sur sa joue brûlante.

Sephan bey bavardait avec Irène quand elle passa devant eux au pas de charge. Irène l'appela.

Elle promena autour d'elle un regard égaré.

— Restez avec nous. Voulez-vous boire quelque chose ? proposa leur hôte.

Anicia s'assit à la table. Sa poitrine se soulevait au rythme de sa respiration saccadée. Elle remit en place une mèche rebelle.

— Oui, je boirais bien un citron pressé.

Sephan bey donna un ordre à un serveur, puis il s'adressa à Anicia :

— Vous vous appelez Erksan ? fit-il d'un air engageant.

Un petit signal s'alluma dans la tête d'Anicia. « Alerte ! » Elle acquiesça prudemment.

— J'ai connu un homme du nom d'Erksan, révéla son hôte en plissant les yeux, Halit Erksan.

Anicia se redressa.

— C'est mon père.

Irène dévisagea l'Istanbouliote avec inquiétude.

— Un homme exceptionnel, dit celui-ci. Il m'a inspiré le plus profond respect. Quand il a dû quitter le pays, il n'avait pas un sou vaillant ; je l'ai fait voyager sur l'un de mes bateaux. Plus tard, il m'a remboursé sou par sou jusqu'à l'expiration de sa dette. C'est un homme d'honneur. Je suis honoré d'avoir accueilli sous mon toit la fille de Halit Erksan. Je citerai notre proverbe : « L'hôte est un envoyé de Dieu. »

Il porta la main à son cœur. Anicia irradiait la fierté.

— Si je puis me permettre de vous donner un conseil, Erksan bayan, ne vous flattez pas d'être Kurde devant des inconnus et surtout d'être la fille de Halit Erksan ;

vos trois frères qui sont morts pour une noble cause, font figure de martyrs. Ils sont gênants pour certains.

Elle s'apprêtait à protester. Il émit de petits claquements de langue et sa voix se fit insistante : « Croyez-moi, petite louve grise. »

Le loup, immémorial totem des Turcs, était le symbole de l'indépendance et du courage. Emue jusqu'aux larmes, Anicia apprécia la sollicitude de cet homme de cœur.

— Merci pour votre précieux conseil, Sephan bey.

Cyrille fut étonné quand elle vint se blottir contre lui dans la pénombre qui envahissait le pont du bateau les ramenant à Istanbul.

— Où sont vos armes ? demanda-t-il soupçonneux.

— Au vestiaire.

— Que vous arrive-t-il ? Vous avez peur des souris ? Vous avez froid ?

— Non. J'ai chaud, très chaud au cœur.

Il la serra, rempli d'espoir.

— Sephan bey a connu mon père et le tient en grande estime. Et savez-vous comment il m'a appelée ?

— Laissez-moi deviner... Petit chat ? Douce brebis ?

— Louve grise !

— C'est adorable.

— Chez nous, la louve grise est le symbole de la lutte contre l'oppresseur.

— Je suis heureux que le compliment vous ait touchée, dit Cyrille sans rire, cela prouve que tout animal, même féroce, est capable, un jour ou l'autre, d'éprouver un sentiment humain.

*
* *

Mlle Dieulefit avait demandé au groupe de se trouver à neuf heures dans le hall de l'hôtel.

L'œil tuméfié de Raymond Courtois provoqua des commentaires apitoyés ; il prétendit s'être cogné dans une porte.

— Il faut qu'une porte soit ouverte ou fermée, remarqua Bertrand Dubois-Lagrume avec un sourire fin.

Anicia avait présenté ses excuses à la victime au retour de l'île de Büyuk Ada.

— Nous savons que vous êtes une nature passionnée, dit Mlle Dieulefit que la familiarité des monstres mythologiques et des tyrans antiques rendait indulgente aux erreurs humaines.

— Je vous promets de détruire le négatif, dit Raymond Courtois. A moins que la photo ne soit tout bonnement ratée car j'ai appuyée d'instinct, en chasseur d'images.

— Voyons, Raymond, vos photos sont toujours réussies.

— Ma très chère, tout peut arriver. Tenez, un jour, à Bruges, je suis bien tombé à reculons dans le canal.

Anicia les avait laissés poursuivre leur passionnante conversation pour aller se coucher.

Avant d'ôter son costume oriental, elle se contempla une dernière fois dans la glace. Un déguisement que l'on quitte, un lieu qu'on laisse derrière soi ou un livre que l'on referme, prennent place dans la mémoire. Bon ou mauvais, le souvenir subira l'épreuve du temps ; il se fânera et se desséchera avant de tomber en poussière ou se conservera dans son inaltérable fraîcheur.

L'image de Cyrille dans le décor enchanteur de l'île des Princes s'était cristallisée dans l'esprit d'Anicia convaincue qu'il demeurerait toujours ainsi, dans la splendeur de sa force et de sa jeunesse. Elle fit une révérence devant l'armoire : « Bonsoir, mon Prince ! »

dit-elle avec un sourire pour démentir les battements de son cœur.

— Qu'est-ce que tu fabriques ? demanda Irène en sortant de la salle de bains.

— Gymnastique…, dit Anicia en se mettant à faire des flexions.

Dans le hall, on n'attendait plus que Mme de La Bussière, une sexagénaire, bon pied, bon œil, qui profitait d'un veuvage confortable, enfin libérée d'un long esclavage mondain. Elle était d'une distraction redoutable. Elle avait égaré ses bagages à Orly ; dans l'avion, elle avait renversé sa tasse de café sur la jupe de cachemire blanc de sa voisine.

— Elle ne s'est peut-être pas réveillée ? fit une voix.

Anicia qui servait d'interprète demanda à la réception de sonner chez la vieille dame. On n'obtint pas de réponse.

Mlle Dieulefit pâlit. La même pensée traversa tous les esprits : la vieille dame avait peut-être eu un malaise. Bertrand Dubois-Lagrume émit l'opinion que les vieux devraient rester chez eux, ce qui éviterait bien des ennuis à tout le monde. Il nourrissait une méfiance teintée d'antipathie envers celle qu'il considérait comme une vieille toquée et cela depuis leur première rencontre.

Apprenant qu'il possédait un magasin, elle lui avait demandé avec simplicité :

— Dubois-Lagrume, avec un nom pareil, vous devez être dans les meubles ?

— Non, dans l'habillement.

— Les redingotes en sapin ?

Le jeune commerçant ignorait que l'on désignait ainsi les cercueils en argot, à une époque où le beau monde aimait à s'encanailler au bal musette. La consonance ironique de l'expression le frappa et, grâce à l'obligeance de Raymond Courtois, il finit par comprendre.

On s'apprêtait à demander à un employé d'ouvrir la porte de la chambre de Mme de La Bussière, lorsque, soudain, elle fit son entrée par la porte de la rue, encadrée par deux agents de police grands, larges et moustachus.

Elle les remercia chaleureusement :

— *Tanti saluti, muchachos.*

Les deux colosses se penchèrent pour l'embrasser affectueusement sur les joues avant de sortir. Avisant le groupe éberlué, la vieille dame découvrit des dents étincelantes dans un sourire ravi.

— Ah ! quelle nuit ! Je suis rompue ! Je monte me coucher.

— Vous ne venez pas visiter Sainte-Sophie… Sainte-Irène… Topkapi ? fit Mlle Dieulefit, navrée.

— Vous me raconterez, dit Mme de La Bussière avec un geste papillonnant de la main.

Elle disparut dans l'ascenseur. L'un des policiers revint précipitamment pour apporter une poupée des plus vulgaires, aux cheveux de nylon blonds et en robe de satin rose crevette à volants. Il s'en débarrassa dans la première main qui se présenta en prononçant quelques mots d'explication avant de ressortir.

— Elle avait oublié la poupée dans la voiture de la police, dit Anicia.

Mlle Dieulefit se ressaisit et exposa le programme de la journée, avant d'apporter cette précision :

— M. Beaufort s'est excusé, il ne sera pas des nôtres. Il y aura-t-il d'autres défections ?

— Moi, je dois rencontrer des amis, dit Anicia.

Mlle Dieulefit pinça les lèvres. Elle se sentait frustrée lorsqu'on se privait des plaisirs délicats qu'elle aimait partager.

— Peut-être nous rejoindrez-vous au restaurant du Sérail ? fit-elle avec une lueur d'espoir dans son doux regard.

— Nous ferons notre possible.

Et pour justifier l'emploi du pluriel, elle ajouta : « Irène vient avec moi. »

Depuis son arrivée à Istanbul, Anicia était suspendue au téléphone pour tenter de joindre l'homme sûr, un certain Bibalchar qui devait lui remettre les cartons médicaux. Elle commença à s'inquiéter, quand elle apprit que le numéro de téléphone qu'on lui avait donné à Marseille correspondait à un café du vieux Stamboul dont Bibalchar se révéla être un habitué. Par malchance, on ne l'y avait pas vu de plusieurs jours.

— Allons-y. Sur place on obtiendra peut-être son adresse, dit Anicia à Irène.

Elle fit appeler un taxi par le concierge de l'hôtel situé à Beyoglu, l'ancienne Pera où Pierre Loti, rêvant à son Aziyadé, déambulait la nuit sous les étoiles, parmi les tombes et les cyprès. De nos jours, le quartier est un centre commercial envahi par les autos. Si l'on veut rêver au fabuleux destin de Byzance, il faut monter à la tour Galata du haut de laquelle on découvre l'un des plus beaux panoramas du monde qui embrasse la mer de Marmara, la Corne d'or et le Bosphore.

Le taxi franchit le pont Atartük reliant les deux rives de la Corne d'or. Dans la clarté éblouissante, les minarets et les dômes des mosquées dominaient le moutonnement des toits roses ; à l'horizon les collines verdoyantes se détachaient sur un ciel d'un bleu de mosaïque.

Le taxi pénétra dans le vieux quartier turc, construit au flanc de l'une des sept collines sur lesquelles se déploie Istanbul. Les maisons de bois peintes de couleurs pâles s'étageaient sur une rue en pente dévalant vers la mer qui s'étendait au-delà des murailles maritimes. Les rues anciennes sont encore pavées. On y respire l'air de l'Orient d'autrefois.

Tout au long du trajet, le chauffeur, au grand effroi d'Irène, avait conduit d'une main, à demi-tourné vers ses jolies passagères, leur prêtant plus d'attention qu'à ce qui passait autour de son véhicule.

Par l'un de ces miracles quotidiens de la circulation turque, ils arrivèrent entiers à destination.

— Vous attendez, dit Anicia au chauffeur qui vit aussitôt dans cet ordre un effet de sa séduction. Il sortit de la grosse voiture américaine, d'un modèle ancien, pour se dresser sur de courtes jambes en arceau ; un frémissement belliqueux passa sur ses moustaches anthracite et ses sourcils se froncèrent au-dessus d'yeux féroces épiant d'éventuels rivaux.

La maison de bois peinte en rose était peu engageante. Un encorbellement, à l'unique étage, surplombait trois petites tables où étaient assis des consommateurs coiffés de casquettes. Les deux jeunes filles sentirent peser sur leurs corps les regards d'hommes gardant jalousement cloîtrées leurs femmes et pour qui chaque étrangère est une proie tentante.

La petite salle comptait une demi-douzaine de tables. Les hommes attablés dévisagèrent les femmes avec une convoitise survoltée.

Le patron, un obèse au crâne rasé et au torse moulé dans un T-shirt douteux, reçut la première question d'Anicia par un grognement enroué. Ses petits yeux porcins, noyés dans des conques de graisse, s'attardèrent sur l'anatomie des jeunes filles. Anicia avait bien recommandé à Irène de s'habiller de façon à ne pas mettre en évidence les attributs de leur sexe, contrairement aux lois élémentaires de l'art de plaire. Elles avaient adopté des jupes larges et des chemisiers à manches longues. Malheureusement, le fin tissu ne réussissait pas à dissimuler le galbe de la poitrine. Irène possédait des seins un peu gros, et ce qui pouvait apparaître comme un défaut selon le canon occidental de l'esthétique féminine, faisait figure de tentation pour un peuple amateur de rondeurs.

Le patron répondit avec réticence à l'interrogatoire d'Anicia.

— Allons-nous en, proposa Irène n'osant lever les yeux sous la vague brûlante du désir des hommes silencieux.

Anicia refusa de l'écouter. Elle ne doutait pas de venir à bout du patron. Il était coriace, mais à l'hôpital, elle avait eu affaire à des êtres frustes et récalcitrants, aussi savait-elle joindre la ténacité à l'autorité souriante.

Il finit par céder. Anicia adressa un regard triomphant à Irène.

— Venez avec moi, dit-il.

Il se dirigea vers une porte qui ouvrait sur un couloir.

— Tu viens ? s'impatienta Anicia.

Irène hésitait. Il était trop tard pour reculer. Les hommes de la rue s'agglutinaient à la porte ; ceux de la salle dévoraient les femmes de leurs yeux embrasés. Elle suivit Anicia.

L'obèse monta en soufflant les marches d'un petit escalier en bois. Il fit entrer les jeunes filles dans une pièce du premier étage.

— Attendez ici, lança-t-il d'une voix exténuée.

Il sortit et referma la porte à clé.

Les deux jeunes filles échangèrent un regard inquiet.

4

Irène courut à la fenêtre, en proie à une panique qu'elle ne pouvait maintenant plus réprimer.

— Que fais-tu ? s'écria Anicia.

— Je vais appeler à l'aide.

Déjà, elle levait la croisée. Anicia la retint.

— Attends. Il faut réfléchir...

Elles se trouvaient dans une pièce tapissée d'un papier à fleurs dans les tons guimauve. Le dessus-de-lit de soie cramoisie, brodée de motifs floraux multicolores, recouvrait un lit matrimonial. Deux gros oreillers, du même tissu, étaient disposés sur un traversin. Au-dessus du lit, une photo de mariage coloriée à la main, dans un cadre doré ovale accroché par de gros cordons tressés. Une table de nuit, une armoire à glace et deux chaises recouvertes de peau de mouton, complétaient l'ameublement. Au plafond, un lustre de cuivre avec des abat-jour de verre colorié, façon vitrail.

L'air fâné de la chambre et la place exacte de chaque chose poussaient à croire qu'elle était désaffectée.

— On ne va pas attendre qu'on nous viole ! s'écria Irène.

Anicia répliqua vivement :

— Ça ne sert à rien de s'affoler. Le patron n'a pas forcément de mauvaises intentions.

— Pourquoi nous a-t-il bouclées ?

— Il est peut-être allé chercher Bibalchar ?

— Je veux sortir d'ici ! fit Irène sur un ton obstiné.

— Ma parole, tu t'affoles ?

— J'ai conscience du danger, moi, figure-toi ! Jamais nous n'aurions dû venir dans ce sale bistrot.

— Tu étais pourtant bien d'accord ? fit Anicia irritée.

— Est-ce que je savais, moi ? Je ne suis jamais venue en Turquie. Est-ce que je pouvais imaginer que les cafés étaient des repaires de satyres ?

— Il ne faut pas se fier aux apparences.

— Ce bistrot est louche, tu ne peux pas dire le contraire !

— C'est nous qui devons avoir l'air louche, dit Anicia. Le patron doit se demander ce que nous voulons à Bibalchar.

— Il faut sortir de ce pétrin. Tu as une idée ?

— Si nous appelons au secours, la police risque de rappliquer. Comment expliquer notre présence ici ? Ce n'est pas le genre d'endroit que fréquentent les touristes. La police turque est très méfiante et expéditive. Je présume que Bibalchar ne tient pas à avoir affaire à la police.

— Tu as vu tous ces bonshommes, fit Irène en frissonnant. Ils ont des têtes de violeurs !

— Les Turcs sont très amicaux et hospitaliers ; tous les guides de voyages le disent, fit Anicia, moqueuse.

— Je n'ai pas envie de plaisanter, je t'assure.

— Je ne vais pas fondre en larmes.

— Si un de ces types entre ici, j'ouvre la fenêtre et je hurle.

— Si tu fais ça, je ne t'adresse plus la parole.

Irène s'assit sur une chaise et se confina dans une attitude boudeuse.

Sous la fenêtre, elles entendirent ronronner le moteur de leur taxi qui s'éloignait.

— Ne nous affolons pas, dit Anicia crispée. Nous nous en sortirons.

Elle s'étendit sur le lit.

— Pas sur le lit ! fit Irène. S'ils entraient !

Anicia se leva à regret et alla s'asseoir sur la seconde chaise.

— J'ai l'impression d'attendre chez le dentiste, dit-elle.

Le temps s'écoula lentement.

— Plus j'y pense, reprit Anicia, rompant le silence oppressant, plus je crois que le patron, ignorant à qui il a affaire, nous a mises à l'abri et qu'il va tenter d'avertir Bibalchar.

Abattue, Irène était loin de partager cet optimisme. Elle s'entêta dans sa réprobation.

— Jamais nous n'aurions dû nous embarquer seules dans une pareille aventure, dit-elle.

— C'est notre seule chance de réussir. Qui se méfierait de deux filles mêlées à un groupe de touristes conduits par Mlle Dieulefit, professeur d'Histoire de l'Art ?

— Même si nous sortons indemnes de cette chambre, il peut se passer pas mal de choses jusqu'au Kurdistan.

— Tu le savais avant de venir, non ? fit Anicia avec impatience.

Sur le coup de midi, les marches de l'escalier craquèrent. Les jeunes filles se réfugièrent le long du mur, laissant le lit entre elles et la porte.

L'obèse entra avec un plateau de nourriture et une bouteille de bière. Le temps qu'il dépose son plateau sur une chaise, des hommes s'écrasèrent sur le seuil, plongeant leurs regards libidineux dans la chambre.

Anicia surmontant sa frayeur, interpella le poussah :

— Laissez-nous partir !

Il eut un sourire concupiscent.

— Ma douce gazelle, tu n'es pas bien ? fit-il de sa voix cassée. La chambre ne te convient pas ? Si tu t'ennuies, je peux faire entrer de la compagnie.

Il gloussa et son corps énorme fut agité comme une crème renversée tombant du moule.

La porte battit contre le mur sous la poussée des hommes avides d'admirer les étrangères.

— Vous risquez gros en nous retenant contre notre gré ; le chauffeur de taxi ira trouver la police, fit Anicia.

— Pourquoi le ferait-il ? Je lui ai payé sa course ; et la mettrai sur votre note.

— On sait que nous sommes ici, on va venir nous chercher, fit Anicia qui avait changé de visage.

— Nous verrons bien.

— Je vous préviens, je vais sortir ! cria Anicia.

— Vous préférez attendre Bibalchar avec les hommes, en bas ?

Anicia eut un mouvement de recul. L'obèse se fit rassurant :

— Mangez tranquillement. Vous êtes en sécurité dans cette chambre.

Elle ne savait plus que penser. L'homme lui inspirait une répugnance instinctive mais il se pouvait que sa conduite fut dictée par la méfiance que lui inspirait leur démarche, insolite pour un Turc.

— Vous êtes sûr que Bibalchar va venir ? demanda-t-elle d'une voix mal assurée.

— Il viendra.

— Dites-moi quand.

L'obèse eut un geste fataliste. Il se dirigea vers la

porte et se fraya un passage en poussant les hommes avec son ventre. Il referma la porte à clé.

Anicia exhala un soupir de soulagement.

— Eh bien, tu vois, ça ne s'est pas mal passé, dit-elle à Irène qui était devenue toute blanche.

Elle lui rapporta la conversation qu'elle avait eu avec l'obèse. Humant les assiettes, elle dit :

— Ça sent bien bon ; tu viens manger ?

— Je me demande comment tu peux avoir le cœur à manger !

— Les émotions, ça creuse, fit Anicia en piquant sa fourchette dans son assiette.

— Tu as vu comme il nous regardait ? fit Irène.

— Il n'est pas dangereux ; il est bien trop gros. Il ne me fait pas peur.

— Oh ! Toi, tu n'as peur de rien.

— Allons, détends-toi, fit Anicia. Goûte ça, c'est très bon, je t'assure. Vraiment, c'est dans les bouis-bouis qu'on mange la meilleure cuisine d'un pays. On va approcher la chaise du lit.

Elles s'assirent sur le lit. Anicia but au goulot de la bouteille de bière.

— Il a oublié les verres. Je vais le rappeler...

— Non ! Non, ne fais pas ça ! s'écria Irène affolée.

Anicia se mit à rire. Irène lui donna une bourrade.

— Dis-donc, tu me fais marcher ? C'est vrai, c'est très bon, dit-elle après avoir goûté au plat. Vou-ou ! Il y a du piment, là-dedans.

— Tu sais, j'ai une idée, fit Anicia songeuse, s'il nous garde enfermées jusqu'à la nuit, nous filerons par la fenêtre, en attachant les draps. La maison n'est pas haute. Une fois dans la rue, le patron ne pourra jamais nous rattraper.

— Mais les autres ?

— Nous attendrons qu'ils soient partis et même s'il y

a encore du monde, ils ne nous violerons pas en pleine rue. Tu sais que les gens se couchent tard et qu'il y a toujours des promeneurs.

Les heures s'égrenèrent avec lenteur. La rue retentissait de la vie journalière : jeux d'enfants, aboiements, bruits des innombrables transistors. Une vague rumeur apportait le son des sirènes des bateaux sillonnant le Bosphore.

L'obèse vint reprendre son plateau et apporta du thé.

— Vous êtes très hospitalier, fit Anicia avec un grand sourire.

— C'est toujours un plaisir d'accueillir les visiteurs étrangers, répondit l'obèse. Il s'assit sur une chaise. J'aimais beaucoup ma femme. Je suis monogame, c'est vous dire que j'y tenais. Elle est morte et je ne l'ai pas remplacée. C'est elle, dans le cadre.

— Une belle femme, approuva Anicia.

— Une beauté. Elle pesait 95 kilos, soupira le veuf. Il n'y en avait pas deux comme elle dans le quartier. On se dérangeait des quatre coins de la ville pour venir l'admirer. (Il demeura un moment pensif, jaugeant Anicia de son regard trouble.) Toi aussi, tu es belle, dit-il.

— Bof ! Les habits me remplument, je n'ai que la peau et les os, fit Anicia d'un ton découragé.

— Ton amie est plus en chair, fit-il avec un geste évoquant d'appétissantes rondeurs. A vous deux vous faites bien cent kilos ?

— Elle est un peu soufflée, aujourd'hui. Elle est allergique aux moules. Normalement, c'est une vraie planche à repasser.

Le veuf secoua la tête.

— Ça ne fait rien, vous me plaisez quand même ; il faut faire avec ce qu'on a. Ça fait si longtemps qu'une femme n'est pas entrée chez moi ! fit-il avec tristesse. Et

45

pourtant, je suis le plus bel homme de la rue. Comment me trouves-tu ?

— Vous êtes le plus bel homme que j'aie jamais vu.

— Alors, tu as de la chance, parce que vous me plaisez aussi. Je vous gâterai toutes les deux. Je gâtais beaucoup ma femme. Je lui achetais des loukoums chez Haci Bekir (1). Il se leva pesamment. Je reviendrai ce soir. J'apporterai du raki.

— Et Bibalchar ? Il faut que je vois Bibalchar.

L'obèse voila son mensonge d'un sourire.

— Je l'ai fait prévenir. A ce soir, mes blanches agnelles.

— Compte là-dessus, gros bouffi, fit Anicia en français et avec un sourire.

L'obèse leur adressa des baisers du bout de ses doigts boudinés et referma la porte à clé sur ce qu'il considérait déjà comme son harem.

Anicia se laissa tomber à la renverse sur le lit en riant.

— Que se passe-t-il ? demanda Irène, déconcertée.

Anicia lui expliqua la situation.

— Les Turcs sont de grands sentimentaux, tu ne voulais pas me croire. Ils aiment être aimés. Tu en fais ce que tu veux en les prenant par les sentiments.

L'obèse fut privé de sa fête galante. L'après-midi tirait à sa fin, quand une voiture, qui s'était engouffrée à vive allure dans la rue paisible, s'arrêta sous la fenêtre, dans un crissement de freins. Les portières claquèrent. La vieille maison retentit des éclats de voix provenant de la salle. Puis, au bout d'un moment, des pas agiles gravirent l'escalier et franchirent le couloir. La porte s'ouvrit avec fracas.

— Cyrille ! s'écria Anicia en bondissant.

Il ne perdit pas de temps en explications. Suivi des

_____

(1) Célèbre confiseur d'Istanbul.

deux prisonnières, il descendit l'escalier. Dans la salle, Anicia reconnut le chauffeur de taxi qui les avait laissées au café. Un énorme coutelas en main, il surveillait l'obèse et les hommes attablés.

Cyrille fit sortir les deux jeunes filles. Ils s'engouffrèrent dans le taxi et verrouillèrent les portières. Le chauffeur sauta sur son siège. Le moteur tournait ; il embraya et partit en trombe.

Cyrille raconta que le chauffeur, intrigué par la visite des étrangères dans un lieu insolite comme pouvait l'être ce café et ne les voyant pas reparaître, était revenu à l'hôtel. Le hasard fit que Cyrille était déjà rentré de son rendez-vous d'affaires. Averti par le concierge, il avait recueilli le récit du chauffeur.

— Que faisiez-vous dans cet endroit ? demanda Cyrille.

— Nous avions rendez-vous, répondit tranquillement Anicia.

— Avec qui, grand Dieu ? fit Cyrille avec surprise.

— Un ami de mon père.

Il la dévisagea avec une suspicion incrédule.

— Dans une chambre à coucher ?

— Je n'y étais pas seule, répliqua Anicia.

— Vous étiez là, Irène. Peut-être que vous serez plus explicite ?

— Je vous ai tout dit, fit vivement Anicia. J'avais rendez-vous avec un ami de mon père et Irène m'a accompagnée. Elle n'en sait pas davantage.

— Comment se fait-il que vous ayez été enfermées à double tour ?

— Le patron a jugé que c'était plus sûr, fit Anicia, consciente que Cyrille ne croyait pas à son histoire.

— Est-ce que vous vous rendez compte de ce qui a failli vous arriver ? dit-il avec humeur.

Anicia ouvrit de grands yeux innocents.

— Le patron a été charmant.

— La version du chauffeur de taxi est tout à fait différente. D'après lui, vous avez été séquestrées pour être livrées aux clients du café.

Anicia fit entendre un rire haut perché.

— Séquestrées ? Tu entends, Irène ?

Irène hocha la tête lugubrement. Cyrille les considéra, tour à tour.

— Je n'aime pas qu'on me raconte des histoires, dit-il d'une voix métallique.

— Voyons, Cyrille, avons-nous l'air de filles terrorisées ?

Il était perplexe. Il voyait bien qu'elle s'ingéniait à plaisanter et il devinait l'inquiétude sous-jacente. Il savait, aussi, qu'il ne disposait d'aucun moyen de connaître la vérité.

— Après tout, fit-il, c'est vous que ça regarde.

— En effet, et je vous serai reconnaissante de n'en parler à personne.

— Soyez sans crainte, je déteste les cancans, fit-il l'air pincé.

Elle ne voulut pas qu'il reste sur une impression d'ingratitude.

— Cette aventure n'est pas très glorieuse, dit-elle avec un sourire repentant.

— En effet.

— Je vous suis reconnaissante d'être venu nous tirer de là en pensant que nous courions un danger.

Il plongea son regard interrogateur et encore contrarié dans les yeux bleus dont nulle ombre n'altérait l'éclat.

— N'en parlons plus, fit-il, radouci.

Irène le remercia à son tour avec un sérieux qui ramena Anicia à ses frayeurs de la journée et lui fit comprendre combien son jeu avec leur sauveur pouvait être artificiel.

— Merci, dit-elle en posant sa main sur le bras de Cyrille.

— Quand vous partirez à la recherche de pittoresque, dit-il avec une légèreté un peu tendue, faites-moi signe avant : mieux vaut prévenir que courir !

Arrivés devant l'hôtel, Cyrille paya le chauffeur et lui laissa un pourboire d'émir.

— Pssitt ! fit le chauffeur en rappelant Anicia. Clair de lune de mes nuits, susurra-t-il, je viendrai te chercher ce soir. Nous irons faire une balade, ça ne te coûtera rien.

— C'est une merveilleuse idée, répondit Anicia avec un sourire charmant. J'amènerai les enfants, ils adorent les promenades en voiture.

Elle le laissa sans voix et entra à son tour à l'hôtel.

— Etes-vous satisfaite de votre journée ? s'enquit aimablement Mlle Dieulefit, qui avait rencontré Cyrille et Irène dans le hall.

— Oui…, balbutia Anicia, prise au dépourvu.

— Avez-vous bien déjeuné, au moins ?

— Très bien, dit Irène. Anicia a déniché un bon petit restaurant dont je me souviendrai.

— J'ai confiance en son discernement, dit Cyrille narquois.

— Il n'y a que ces sortes d'endroits pour bien manger et pour pas cher, approuva Mlle Dieulefit. C'est dans les quartiers populaires que l'on rencontre les types humains et authentiques. M. Courtois a pris la photo d'un balayeur d'une beauté à se mettre à genoux. Le visage carré et le nez fort, tout à fait le profil hittite que l'on voit sur les reliefs égyptiens. J'aurais aimé connaître sa généalogie. Si vous aviez été là, Anicia, je vous aurais demandé de l'interroger.

Mme de La Bussière, toute pimpante, sortit de l'ascenseur. Elle portait un caftan mauve entretissé d'argent qui dissimulait ses formes généreuses. Ses cheveux blancs aux reflets bleus entouraient son visage de coques artistiquement agencées. Elle était couverte de bijoux dont l'éclat rivalisait avec ses dents.

— Vous êtes déjà prête ? fit Mlle Dieulefit avec l'air indulgent qu'elle adoptait pour s'adresser à la doyenne du groupe.

— Je vais faire une partie de cartes, dit Mme de La Bussière.

Suivie d'un regard mi-inquiet, mi-admiratif de Mlle Dieulefit, elle pénétra dans le salon. Un homme âgé et distingué, un rien passé de mode, lui baisa la main.

— Vous savez que nous avons journée libre, demain, rappela Mlle Dieulefit. J'ai l'intention d'aller au café Loti. Il est au-dessus d'Eyüp, en haut de la Corne d'or. C'est là que dans le calme d'un paysage verdoyant, Loti aimait à contempler les splendeurs du soleil couchant. S'il en est parmi vous qui désirent venir ? Pour l'instant, il n'y a que M. Courtois.

Un silence gêné accueillit la proposition. Mlle Dieulefit eut un sourire crispé et agita sa main blanche, laissant à chacun la liberté du choix.

— A tout à l'heure, dit-elle en prenant gauchement congé.

Cyrille et les deux jeunes filles s'entre-regardèrent, vaguement conscients d'avoir manqué de gentillesse.

— Elle est obsédée par Pierre Loti, fit Cyrille.

— Elle a lu *Aziyadé* quand elle avait seize ans, révéla Irène. Et elle a décidé alors de connaître Istanbul avant de mourir. Un rêve de gosse.

Anicia sentit sa gorge se nouer.

— J'irai au café *Loti,* dit-elle brusquement.

— Je me joins à vous, dit Cyrille.

— Tu viendras avec moi ? demanda Anicia à Irène qui hésita à répondre. Je suis sûre que cela fera plaisir à Bernadette.

Elle se dirigea vers l'ascenseur. Irène la rejoignit.

— Vous venez ? fit-elle à Cyrille.

Mais Anicia avait déjà appuyé sur le bouton de leur étage. La porte effaça en se refermant la vision de la haute silhouette de Cyrille immobile et furieux.

5

Sitôt qu'elles furent dans leur chambre, Irène donna libre cours à son irritation.

— Je ne comprends pas que tu puisses te conduire comme tu le fais avec Cyrille !

— Je ne veux pas qu'il me colle aux talons.

— Il y a la manière, tout de même !

Anicia haussa les épaules et elle allait répondre vertement, quand elle se ravisa. Elle décrocha le téléphone et demanda au standard de lui passer un numéro inscrit sur son calepin.

— Il faut absolument mettre la main sur Bibalchar, fit-elle. Nous devons prendre le train pour Ankara et nous ne pouvons pas partir sans nos cartons. J'ai demandé le numéro de Gros-bouffi. Je vais lui dire qu'il nous envoie Bibalchar... Ou plutôt non, ce ne serait pas prudent : je vais lui donner le numéro de notre téléphone. Bibalchar n'aura qu'à m'appeler.

Irène ne put s'empêcher d'admirer le tonus de son amie qui la dépassait sans cesse par ses initiatives.

— Crois-tu que Gros-bouffi acceptera ?

Anicia s'écria avec conviction :

— Il a intérêt ! En fait, je lui demande peu de chose :

donner notre numéro de téléphone à Bibalchar en échange de notre silence.

— Et s'il refuse ?

— Je le menacerai de le dénoncer à la police ; tu sais qu'il risque gros pour ce qu'il a fait.

— Pas possible ? fit Irène avec ironie. Parce que tu t'es enfin rendu compte que nous avons failli être violées ?

— Séquestration et tentative de viol : il est bon pour finir ses jours en prison.

Le téléphone sonna. Anicia décrocha et se mit instantanément à crier avec fureur. Elle fit signe à Irène d'approcher son oreille de l'écouteur. A l'autre bout du fil, l'obèse émettait des protestations asthmatiques. Terrorisé, il larmoyait et approuvait tout ce que lui dictait la gazelle de ses rêves devenue subitement enragée.

— Il a juré sur la moustache sacré de son père que Bibalchar donnera de ses nouvelles dès demain matin, dit Anicia en raccrochant.

— Mon Dieu, tu me tues ! gémit Irène.

Anicia tourna sur elle-même comme une toupie et lança :

— Qui prend la salle de bains la première, toi ou moi ?

— Vas-y ! Moi, j'ai besoin de récupérer.

Anicia fit couler un bain. Elle se dévêtit en un tour de main et se plongea dans l'eau tiède avec des cris de joie.

— Tu en fais du bruit, fit la voix gémissante d'Irène, on dirait un phoque.

— Mais je suis un phoque, fit Anicia en imitant le cri de l'animal et en claquant les mains.

Une sensation de délicieux bien-être l'envahit et elle ferma les yeux. Mais presque aussitôt, une affreuse angoisse lui tordit les entrailles.

« Je fais le fier-à-bras devant Irène, mais je n'en mène pas large, se dit-elle. Bibalchar, un homme sûr ? J'ai l'impression que ces braves Kurdes de Marseille prennent leurs désirs pour argent comptant... Et moi qui ai entraîné Irène dans cette galère ! Pauvre fille, je lui en fais voir de toutes les couleurs... Et Cyrille ? Il doit me prendre pour une vraie brute ! »

Saisie d'une langueur, à laquelle le bain n'était pas étranger, elle se remémora le retour de l'île des Princes, sur le bateau. Istanbul se parait de toute sa magie. Sous le clair de lune, les minarets, les mosquées et les somptueux palais luisaient d'un éclat bleu, patiné d'or fin. Un océan de tuiles roses s'étendait au-dessus des masses ombreuses des maisons, et là-bas, les collines noires d'Europe et d'Asie, sous la coupe bleue du ciel, barraient l'horizon.

Anicia avait entrevu, à la faveur de l'émotion causée par ce fabuleux spectacle, l'étrange fascination que ce lieu mythique avait de tous temps exercé sur l'imagination humaine.

La nuit, effaçant les tares du progrès, permettait à l'imagination de chevaucher son coursier, telle la légendaire déesse des chimères, montée sur un cheval en forme de nuage.

Les palais de marbre blanc rappelaient les fastes de l'ancienne société. Mais ces palais recelaient des harems remplis de femmes achetées, grandies dans l'esclavage, sur lesquelles le maître avait droit de vie et de mort. L'or et le marbre recouvraient la déchéance d'êtres de chair et de sang. L'injustice s'était-elle éteinte avec ses temps révolus ? Ou bien portait-elle un masque ? La réponse était aisée : dans leurs montagnes arides les Kurdes s'amenuisaient et bientôt, si nul ne les secourait, cette race superbe ne serait plus qu'un souvenir.

Sur le pont du bateau, la main de Cyrille avait glissé

lentement le long de son corps. A travers la soie, elle avait senti sur sa peau la chaleur intense de la main nerveuse qui, abandonnant le dos, vint s'arrêter sur le repli onctueux de la hanche.

Elle se raidit ; il l'interrogea. Ne voulant pas gâcher cet instant privilégié par une saute d'humeur dont il ne pouvait connaître la raison, elle inclina sa tête douloureuse sur l'épaule virile et ferma les yeux.

— La voix d'Irène la fit sursauter :

— Tu penses à Cyrille ?

— Comment le sais-tu, tu es voyante ?

— Oui. Je lis dans les vagues... Cela fait un moment que je ne t'entends plus clapoter.

— Je pensais à lui et je me disais...

— Qu'après tout, l'occasion... l'herbe tendre...

— Hé, pas si vite ! protesta Anicia en riant.

— Tu as tort de le décourager. C'est loin d'être un gamin et je crois que tu as une sacrée chance de lui plaire.

— Oh, arrête. J'ai l'impression d'entendre une marieuse qui essaie de caser une laissée pour compte... Dis donc, tu as l'air de le trouver à ton goût, Cyrille ?

— Ne crains rien, je te laisserai ta chance, fit Irène sur un ton de tragédienne.

— Merci, Grande Ame, fit Anicia avec des trémolos.

— Il était magnifique dans son costume des *Mille et Une Nuits.*

— C'est ce que dit Bernadette.

— Elle a du flair pour les romans d'amour... Je vois déjà une photo couleur dans *Match ;* Cyrille et Anicia : « Va-t-elle dire oui ? » Photo signée Raymond Courtois.

— Tu as fini de te payer ma tête ? Attends un peu que je te voie roucouler pour un coq de village !

Elles s'habillèrent ensemble en poursuivant leur babillage.

Elles se complétaient avec bonheur. Irène était un peu plus grande, plus enveloppée, aussi, avec quelque chose de tendre et de vulnérable qui attirait les hommes ayant tendance à se faire materner. Cela ne faisait pas l'affaire d'Irène qui, après de nombreux échecs, recherchait la protection d'un amour viril.

Plus soucieuse de son apparence qu'Anicia, elle avait emporté une élégante robe en soie sauvage, couleur de miel qui s'harmonisait avec son teint laiteux et ses longs cheveux châtain clair qu'elle laissait retomber sur les épaules en vagues ondoyantes. Elle les coiffait parfois en chignon, ce qui la faisait ressembler à un Florentine du Quattrocento.

Pour cette soirée, Anicia avait revêtu une tunique de coton indien chamarré dans des nuances de verts sur fond noir. Un pantalon noir flottait sur ses jambes minces. Aux pieds, elle portait des sandales vertes.

Il était convenu de se retrouver au bar pour l'apéritif. Chacun s'était préoccupé de paraître à son avantage, car cette sortie devait être l'unique occasion de s'habiller ; ce n'est pas sur les routes poussiéreuses et dans les caravansérails que l'on pourrait faire des effets d'élégance.

Cyrille dominait avec une aisance souveraine tous les hommes présents. Il portait une veste rouge foncé moirée, sur un pantalon noir. Une chemise ivoire mettait en valeur son teint hâlé. Une cravate rare, de couleur similaire avec des dessins ton sur ton, brodée en soie brillante sur soie mate, apportait une note de suprême raffinement.

Mme de La Bussière avait invité un ami, le monsieur distingué, qu'elle présenta :

— Signor Arturo Toscanini.

— Dosganini, rectifia l'intéressé.

— C'est cela, acquiesça-t-elle. Votre prénom est bien Arturo ?

— Parfaitement.

— Cela tombe bien, j'avais l'intention de vous appeler Arturo.

Anicia et Irène se poussèrent pour faire une place à Cyrille à leur table.

— Vous êtes très élégantes, toutes les deux, fit-il avec un regard appréciateur.

Irène ondoya sous le compliment qui laissa Anicia indifférente. Il passa négligemment un bras autour du dossier de la chaise occupée par celle-ci. Elle fut électrisée par le contact de sa main sur sa nuque dont il caressa le creux sensible du bout du doigt. Cet attouchement insidieux la mit dans un état d'excitation folle, elle plongea en avant pour y échapper, feignant de rajuster sa sandale.

— Vous avez fait tomber quelque chose ? demanda-t-il avec une duplicité exaspérante.

Il lui caressa la main, sous la table.

— Ne me touchez pas !

Elle se releva et donna un coup d'épaule lorsqu'il tenta de replacer son bras sur le dossier de la chaise.

Mlle Dieulefit entra avec une allure empruntée. Un tailleur gris démodé et un corsage blanc plissé, à boutons de tissu sur lequel retombait un rang de perles, accusaient son provincialisme. Elle s'était poudrée, un peu trop, et avait mis du rose à ses joues duvetées. Son doux visage et ses cheveux fins — encore un peu de blond et pas mal de gris — dégageaient le charme d'un pastel. Elle était attendrissante et Anicia lui toucha le bras au passage :

— Bernadette, vous êtes merveilleuse.

Une petite flamme brilla dans les yeux pâles de la vieille fille.

— Vraiment ? fit-elle, embarrassée.

— Bernadette ! fit la voix claironnante de Mme de La Bussière, venez que je vous présente mon ami Arturo...

Elle hésita sur le nom.

— Dosganini, souffla le monsieur distingué.

— C'est un chef d'orchestre, annonça Mme de La Bussière. Et soudain préoccupée : vous êtes bien dans la musique ?

— Je suis violoniste.

— Ah ! Violoniste, fit Mlle Dieulefit. Vous êtes venu en tournée ?

— Oui. Je dois donner un récital au festival d'Izmir.

— C'est passionnant, fit Mlle Dieulefit.

— Arturo, aimez-vous Brahms ? demanda gravement Mme de La Bussière.

*
* *

— Quelle charmante soirée ! dit Mlle Dieulefit. exprimant l'impression générale quand on regagna l'hôtel, après le show folklorique.

On avait flâné. La nuit était si douce ! Des parfums enivrants se déroulaient dans l'air, et de la musique s'échappait des fenêtres ouvertes.

Anicia prit joyeusement le bras de Mlle Dieulefit.

— J'irai au café *Loti*.

Mlle Dieulefit irradia la joie et sembla prendre à témoin Raymond Courtois des prodiges que pouvait encore opérer Pierre Loti.

— Demain, campo : journée libre, dit un peu plus tard Cyrille à Anicia. Nous pourrions déjeuner ensemble. Sephan bey m'a proposé un bateau. J'ai l'intention de faire une promenade sur le Bosphore : Istanbul, dit-on doit être découverte depuis la mer.

— Je ne peux pas vous le promettre.

— Vous avez rendez-vous avec un autre vieil ami de votre père ?

Les yeux bleus, froids comme l'acier, affrontèrent le regard pétillant de Cyrille.

« S'il cherche à me déplaire, pensa Anicia, il y réussira en continuant à m'asticoter comme il le fait ! »

— Réfléchissez, reprit-il, abandonnant son persiflage. Venez avec Irène, si vous voulez.

— Si je ne suis pas libre, elle vous tiendra compagnie.

— J'ai dépassé l'âge des nurses, fit-il exaspéré. Je me sens capable de sortir seul.

— Alors, vous n'avez pas besoin de moi.

Il évita tout éclat. Ils étaient les derniers à attendre l'ascenseur. Les employés, désœuvrés, à cette heure tardive, les regardaient.

— Oh ! Vous… grinça-t-il.

Dans l'ascenseur il se tint raide, la mâchoire agitée de crispations ; et ses yeux flambaient d'une colère volcanique.

Anicia le trouva magnifique.

« Il m'aime… un peu… beaucoup… à la folie… pas du tout, se récita-t-elle. On va voir à quel degré d'amour correspond mon étage. »

L'ascenseur dépassa son étage à pas du tout pour s'arrêter à la folie.

— Ce n'est pas mon étage, dit-elle.

— Excusez-moi, j'ai appuyé sur le bouton de mon étage par distraction. Nous allons redescendre au vôtre.

— Surtout pas ! A la folie me satisfait tout à fait ! s'écria-t-elle joyeusement.

Ils sortirent de l'ascenseur.

— Charmante soirée, n'est-ce pas ? fit-elle les yeux

mi-clos. Elle poussa un soupir voluptueux : *Allah selamet versen Cyrille.*

Eberlué, il la regarda s'éloigner, légère comme une sylphide. Elle toucha à peine les marches de l'escalier, fit des bonds dans le couloir et entra en coup de vent dans la chambre.

— Qu'est-ce que c'est ? fit Irène apparaissant en léger peignoir sur le seuil de la salle de bains.

— Cyrille m'aime à la folie !

— Comment t'a-t-il dit ça ?

Anicia déclama :

— Il a dit : « Excusez-moi, j'ai appuyé sur le bouton de mon étage. »

— C'est la plus belle déclaration d'amour que j'aie jamais entendue. Et tu as répondu ?

— « A la folie, c'est parfait. »

Irène retourna étaler de la crème sur son visage.

— Si tu veux, demain nous pourrions faire une balade en bateau sur le Bosphore, Cyrille nous invite.

— Il m'invite, moi aussi ?

— Oui, toi et moi.

— Dis plutôt : Moi... et toi, à la rigueur. Je veux bien, il paraît qu'Istanbul doit être vue de la mer. Mais dans tout ça, que fais-tu de Bibalchar ?

— Ah ! Celui-là, je vais lui passer un de ces savons !

— A condition qu'il veuille bien se montrer.

— S'il ne se montre pas, je...

« Je quoi ? Rien ! » dit Anicia avec une rage impuissante.

*
* *

La sonnerie du téléphone tira Anicia d'un demi-sommeil. Elle regarda sa montre : huit heures !

« C'est Bibalchar ! » se dit-elle se rappelant la conversation de la veille avec le patron du petit café.

Elle saisit le combiné.

— On vient d'apporter des colis pour vous, que faut-il en faire ? fit la voix du concierge.

— J'arrive.

Son cœur battait. Elle s'habilla à la hâte et descendît.

Déposés sur les dalles de marbre du hall, tout près de l'entrée, elle reconnut les six cartons qu'elle avait confiés à un routier débrouillard de Marseille se rendant fréquemment en Turquie.

Un homme attendait auprès des cartons compromettants.

« L'imbécile ! pensa Anicia. Il n'a pas trouvé de meilleur moyen de se faire repérer ? »

En deux pas, elle fut sur lui. C'était un mâle avantageux au teint basané, âgé d'une trentaine d'années. Cheveux noirs et serrés et belle moustache. L'œil chaud et caressant sous un front de bélier. Il était vêtu d'une chemise à fleurs, style Floride et d'un pantalon bleu pétrole et portait une gourmette en or et un gros chronomètre aux poignets.

Il sourit et découvrit des dents éblouissantes.

— Ah ! Vous voilà, s'écria-t-elle d'une voix sifflante. C'est donc vous l'homme sûr ? Vous me faites l'effet d'être un drôle de farceur ! Et cet endroit où l'on peut vous joindre et où vous n'êtes jamais ? Et vous rappliquez ici, sans même me consulter, avec tous les risques que cela comporte ?

L'homme souriait béatement et la caressait d'un regard de velours.

« Et ça se prend pour un bourreau des cœurs pardessus le marché ! » pensa-t-elle avec dégoût.

— Bonjour, mademoiselle, dit-il. Je m'appelle Mehmet Kurlu.

Anicia le dévisagea avec terreur.

— Vous n'êtes pas Bibalchar ? Ce n'est pas vous qui avez apporté les cartons ?

— Non. Je m'appelle Mehmet Kurlu, dit-il avec un regard langoureux.

— Mais, alors, qu'est-ce que vous faites ici ?

— J'attends une cliente, Mlle Dieulefit, je suis l'accompagnateur de son groupe.

« Doux Jésus ! » gémit Anicia intérieurement.

6

— Vous parlez bien notre langue, constata Mehmet Kurlu.

Anicia se rappela la mise en garde de Sephan bey : « Soyez discrète au sujet de votre père. »

— Je suis turque.

— Quelle joie, une compatriote ! Mais vous n'êtes pas d'Istanbul.

— Je vis en France.

— La France... Je n'y suis jamais allé. Pour être sincère avec vous, je vous dirai que je n'ai jamais quitté mon pays.

Anicia devina un reproche voilé dans son propos. Il plissa les yeux en homme qui se veut perspicace :

— Vous faites partie du groupe de Mlle Dieulefit ?

Anicia approuva de la tête. Il remarqua d'une voix doucereuse :

— Vous visitez la Turquie, vous ne connaissez donc pas votre patrie ?

Elle n'ignorait pas la curiosité des Turcs à l'égard des étrangers ; leurs questions, parfois désarmantes de franchise, ne sauraient être considérées comme de l'indiscrétion, mais plutôt comme une soif de tout connaître d'un nouveau venu dont on souhaite se faire un ami.

Anicia se demanda si Mehmet posait ses questions pour prolonger leur tête-à-tête ou bien si, intrigué par le discours incohérent qu'elle lui avait tenu, il soupçonnait une affaire louche.

Elle cherchait le moyen d'échapper à l'interrogatoire sans éveiller la méfiance de son trop curieux interlocuteur, quand elle vit Cyrille, des journaux à la main, sortir du salon. Il vint la saluer.

De même que deux matous en concurrence se hérissent, les deux hommes se jaugèrent du regard. Cyrille dépassait Mehmet d'une tête, et cet avantage, joint à son intimité avec Anicia, une compatriote, suscita l'antipathie du Turc.

Anicia s'excusa pour aller régler avec le concierge la question des cartons. Ils convinrent de les déposer dans la resserre à bagages de l'hôtel jusqu'à nouvel ordre.

Cyrille avait laissé Mehmet ; il rattrapa Anicia alors qu'elle s'apprêtait à prendre l'ascenseur.

— Alors, qu'est-ce que vous décidez ?

L'esprit retenu par ses cartons, elle ne vit pas à quoi il faisait allusion.

— A quel sujet ? fit-elle.

— Au sujet de notre promenade en bateau. Il ajouta, frappé par son air préoccupé : vous avez un problème ?

A quelques mètres, Mehmet les observait, l'œil sombre.

— Ecoutez, Cyrille, je viendrais volontiers, mais, pour le moment, je ne peux rien vous promettre, il est encore trop tôt.

— Je comprends, dit-il en se rembrunissant.

— Téléphonez-moi dans le courant de la matinée.

— A tout à l'heure.

Il se dirigea de son long pas souple vers la sortie, passant près de Mehmet sans détourner la tête.

Les portes de l'ascenseur s'ouvrirent, libérant Mlle Dieulefit.

— Bonjour Anicia. Déjà levée ? Elle promena son regard dans le hall et découvrit Mehmet. Vous voyez cet homme, là-bas, dit-elle, en baissant la voix, c'est notre accompagnateur, Mehmet Kurlu, je vais vous présenter.

— Nous avons déjà fait connaissance, dit Anicia en pénétrant dans l'ascenseur. Excusez-moi, mais j'ai à faire.

Les portes glissèrent et Mlle Dieulefit, légèrement désappointée, disparut de la vue d'Anicia.

Irène dormait le visage à demi-enfoui dans l'oreiller.

Anicia se laissa tomber sur son lit. Irène grogna.

— Bibalchar a apporté les cartons.

Regrognement d'Irène. Anicia la secoua.

— Bi-bal-char ! scanda-t-elle. Réveille-toi, la situation est gravissime.

— Toute situation est gravissime quand on est encore couchée aux aurores ! marmonna Irène d'une voix pâteuse.

— Si tu ne te réveilles pas, je te verse un verre d'eau sur la tête.

— Bourreau d'enfant ! Vas-y je t'écoute...

Anicia raconta tout ce qui s'était déroulé depuis le coup de téléphone du concierge.

— Tu n'as pas pris ton petit déjeuner ? J'ai envie d'un jus d'orange, je crois que j'ai trop bu, hier soir, dit Irène.

Anicia, s'écria, scandalisée :

— Comment veux-tu que j'aie eu le temps de prendre mon petit déjeuner ?

Irène allongea le bras jusqu'au téléphone et passa la commande.

Anicia alla à la fenêtre.

— Il fait un temps merveilleux : le ciel est bleu, les toits sont roses et nous avons six cartons sur les bras.

— Qu'est-ce qu'on va en faire ?

— Il fait un temps sinistre : le ciel est noir, les toits sont noirs et nous avons six cartons sur les bras.

— Bon, j'ai compris : nous avons six cartons sur les bras.

On frappa à la porte. Un serveur en veste blanche entra avec sourire épanoui. Il poussa jusqu'au lit d'Irène une table roulante chargée des petits déjeuners. Il s'attarda autour de la table afin de lorgner à loisir Irène dans sa légère chemise de nuit. Anicia dut le pousser vers la sortie.

— Quelle belle mademoiselle ! fit-il en refermant la porte.

Irène trempa les lèvres dans son jus d'orange.

— Mmm ! C'est frais... dit-elle. Alors, tu as vu l'affreux Bibalchar ?

Elle servit le thé et beurra les toasts.

— Non ! Ce crétin a seulement déposé les cartons.

— Ce n'est pas possible ! Qu'est-ce qu'il lui a pris ?

— Je n'en sais trop rien.

— Tu les a terrorisés avec ton coup de téléphone à Gros-bouffi.

— Pour moi, il doit être braque. Déposer les cartons à l'hôtel, sans un mot, ça me dépasse.

— Il savait bien, pourtant, que nous comptions sur lui pour les faire transporter jusqu'à Dogubayazit.

— Estimons-nous heureuses qu'il n'ait pas flanqué les cartons à l'eau.

— Tu parles d'une organisation ! S'ils sont tous comme ton Bibalchar, ça promet.

Anicia lui jeta un coup d'œil inquiet. Elle n'aimait pas

qu'Irène ait dit : « Ton » Bibalchar. N'était-ce pas une façon de dégager sa responsabilité ?

— Nous avons les médicaments, c'est le principal, dit-elle .

— Pour les avoir on les a. Mais qu'est-ce qu'on va en faire ?

— Je n'ai pas l'intention de les laisser à Istanbul.

— Je m'en doute, mais ça ne suffit pas. Comment vas-tu les acheminer jusqu'au Kurdistan ?

Anicia jeta la petite cuillère à confiture qui cliqueta contre la théière.

— Je n'en sais rien ! cria-t-elle. Et cesse de me mettre en accusation.

— Je ne te mets pas en accusation.

— Si, tu es là, à me planter des banderilles. Ce n'est pas ma faute si rien ne se passe comme prévu ! Trouve un moyen toi, qui es si fûtée.

Irène pâlit. Anicia se leva avec brusquerie. Elle ôta la robe qu'elle avait enfilée pour descendre et la jeta sur son lit. Puis elle passa un jean et une chemise de garçon.

— Est-ce que tu viendras faire cette promenade en bateau avec Cyrille ?

Irène, les épaules affaissées, fit de la tête un signe de refus sans se retourner. Anicia avança d'un pas pour l'embrasser et s'excuser de sa méchante humeur. Mais la mollesse d'Irène, sa passivité excitèrent sa combativité. Furieuse, car elle se sentait coupable, elle sortit en claquant la porte.

Elle bouillonnait. Il arrivait rarement qu'elle acceptât un échec. L'adversité la trouvait piaffante, raclant le sol, prête à charger. Pas toujours à bon escient. Elle était à peine arrivée à l'ascenseur, qu'une idée fulgurante l'illuminait. Elle avait trouvé comment transporter les cartons.

Elle faillit revenir sur ses pas pour en faire part à

Irène. Mais son mauvais génie l'en empêcha en lui inspirant le désir de mettre son amie à l'épreuve.

* * *

Cyrille et Anicia quittèrent l'hôtel à pied. Ils contournèrent la place Taksim, au centre de laquelle est élevé le monument de la guerre d'Indépendance consacrant la gloire d'Atatürk.

Mêlés à la foule, ils suivirent une avenue encombrée par une circulation dense. La lenteur de charrettes, attelées d'ânes et menées par des paysans apportant leurs récoltes, faisait bouillir les automobilistes.

Anicia remarqua un conducteur apoplectique qui vociférait et klaxonnait à tour de bras. Après avoir doublé dangereusement une charrette chargée de pastèques, il s'arrêta pile : il avait aperçu une connaissance. Les deux hommes entreprirent de bavarder.

Ce fut au tour de la charrette de pastèques de doubler l'auto stationnée en double file. Mais l'âne ne l'entendit pas de cette oreille et s'arrêta en cours de manœuvre. Un minibus, surnommé *kapti-kaçti* « enlève et file », se trouva coincé. En un clin d'œil, la circulation fut bloquée.

Un agent de police accourut, sifflet aux lèvres, s'étranglant de fureur. Cyrille observait avec amusement Anicia qui prenait un plaisir enfantin au spectacle.

L'incident tourna à la farce quand l'âne se mit à braire. Les avertisseurs et les vociférations se joignirent au son de pompe grinçant de l'aliboron qui recula. La charrette emboutit la calandre d'un taxi dont le chauffeur jaillit en hurlant.

La scène menaçant de s'éterniser, Cyrille entraîna Anicia hors de la foule des badauds discutant avec passion.

68

Des ruelles tortueuses succédaient aux belles rues. Elles épousaient le tracé de l'ancienne ville gênoise. Ici, les maisons étaient encore en bois. Il flottait des odeurs familières d'épices et de cuisines mêlées aux relents du vieux quartier.

Il régnait une atmosphère paisible. Des oiseaux chantaient dans de petites cages peintes de couleurs gaies. On sentait par bouffées l'air marin, car les rues s'ouvraient sur le Bosphore.

Point de hâte. Les voix et les gestes obéissaient à la sagesse séculaire. Des regards s'attardaient ; des sourires naissaient sur des visages qui semblaient venir du fond des âges.

Assis sur des chaises, des hommes en tricot de peau, le ventre débordant largement le panton informe, regardaient sous leurs lourdes paupières s'écouler le temps. Pour eux fut inventé le mot *keyf* afin de désigner cet art de ne rien faire, sans complexe.

Et, par les fenêtres ouvertes, les sempiternels transistors déversaient leur cacophonie de musique arabe et de folklore américain.

Cyrille et Anicia arrivèrent au port. Des traiteurs ambulants préparaient, sur leurs fourneaux roulants, des moules frites et des boulettes de viande à l'oignon qu'ils présentaient sur des tranches de pain.

La rumeur de la ville se fondait dans la merveilleuse lumière liquide du Bosphore. Dans un chatoiement de couleurs avivées par le soleil, des bateaux de toutes sortes passaient en un va-et-vient incessant. Les hirondelles décrivaient de longues courbes dans l'azur jusqu'au dessus des palais et des mosquées.

— Une croyance veut que ce soient les âmes des sultanes infidèles qu'on jetait dans le Bosphore, cousues dans un sac, dit Anicia.

Ils embarquèrent à bord du *cabin cruiser* mis à leur disposition, avec un pilote, par Sephan bey.

Le *cabin cruiser* blanc fit maints détours pour se faufiler entre les barges chargées de marchandises les plus diverses. L'une d'elle transportait une cargaison de moutons bêlants. Les vapeurs qui assurent la navette des voyageurs entre les rives européennes et asiatiques poursuivaient leur route avec l'autorité des poids lourds.

Dans le vide immense du ciel, les minarets et les dômes des mosquées se dessinaient en teintes crayeuses rehaussées d'or et nimbées d'un halo de chaleur.

Anicia retrouvait des signes de sa vision de la ville au clair de lune. La magie nocturne avait disparu. A la clarté du jour, tout n'était que couleurs et bruits ; éclairage différent d'un même décor à multiples faces, tour à tour poétique, dramatique ou comique. En grec, *bosphore* signifie *le passage du bœuf.* La légende veut que Zeus fut amoureux de la déesse Io ; Héra, son épouse, transforma sa rivale en génisse. Io, fuyant la colère de Héra, traversa le détroit à la nage.

Après avoir parcouru le Bosphore, le *cabin cruiser* fendit les flots de la Marmara et les déposa dans une petite crique. Le pilote reçut l'ordre de repasser en fin d'après-midi pour les conduire à Egüp, où ils devaient rejoindre Mlle Dieulefit.

Ils se mirent en maillots. Anicia se jeta à l'eau avec une impatience juvénile. Une eau dont elle savoura la délicieuse température. Portée par l'élément liquide, en pleine euphorie, elle flotta hors du monde.

Elle nageait à la perfection et aurait pu s'inscrire à un club, suivre un entraînement. A quinze ans, par jeu, elle avait concouru avec des nageurs de compétition. On lui avait prédit une belle carrière. Son esprit indépendant lui avait fait rejeter la sujétion de la discipline des champions.

Elle s'était éloignée vers le large, oubliant Cyrille. Soudain, il s'ébroua à ses côtés.

— Vous retournez à Marseille ? fit-il en riant. Elle s'arrêta de nager et s'aperçut que l'eau était plus froide. Vous ne vous rendez pas compte de la distance que vous avez parcourue. Regardez la côte.

Elle vit une ligne verte au-dessus des vagues.

Ils revinrent à la plage en nageant de conserve. Son bain l'avait détendue et elle se sentait divinement bien.

Cyrille s'étira. Sa poitrine se soulevait. Il était essouflé.

— Je suis un peu rouillé... Vous vous entraînez ? demanda-t-il un peu mortifié.

— Non... Mais j'ai toujours nagé et j'adore ça.

Elle s'était allongée sur une sortie de bain en éponge, offrant son admirable corps au soleil.

A travers la résille lumineuse de ses paupières mi-closes, elle contempla Cyrille de bas en haut. Sous le dôme de l'étroit slip de bain de couleur chair, des frissons couraient sur les cuisses nerveuses, d'une belle teinte cuivrée.

Troublée, elle ferma les yeux.

— Vous nagez admirablement, dit Cyrille. Je crois que la force et la résistance des Turcs n'est pas un vain mot.

— Les Kurdes sont encore plus forts. Ce sont les meilleurs portefaix.

— Et vous êtes kurde, c'est vrai... Alors, votre avenir est assuré, fit-il en plaisantant.

Elle se mordit la langue ; décidément, son cerveau fonctionnait au ralenti.

« Il ne faut pas que Mehmet Kurlu apprenne mes origines. »

Il devenait urgent de faire comprendre à Cyrille, sans éveiller sa méfiance, qu'on devait être discret à ce sujet.

71

— Mieux vaut ne pas s'en vanter, fit-elle. Sephan bey m'a dit que les Kurdes sont assez mal vus des autorités.

— Pas les Kurdes de Marseille, fit Cyrille, ceux du Kurdistan et les rebelles.

— Je pourrais être soupçonnée d'être une sympathisante.

— Et puis après ? Moi aussi, je suis un sympathisant des Kurdes, ce n'est pas un délit.

— C'en est un en Turquie.

— C'est bien, je saurai me taire.

— J'ai trop chaud, je vais me tremper.

Elle se leva et courut vers la mer sur la pointe des pieds, tant le sable était brûlant.

Elle nagea sur le bord en examinant Cyrille qui s'était assis et regardait dans sa direction.

« Il est beau, net, franc et apparemment courageux. S'il ne parait pas avoir une conscience politique très affirmée, il est au moins généreux. »

Mais elle ne pouvait pas se résoudre à lui confier son secret. Non qu'elle redoutât une défaillance de sa part, mais parce qu'elle entendait déjà ses mises en garde. Mme Dieulefit lui avait confié que le père de Cyrille avait placé son fils sur le port avec les dockers, avant de lui laisser mettre un pied dans les bureaux de la Direction. Cyrille y avait fait un rude apprentissage et acquis une autorité de fer. Mais Irène était déjà une cause de préoccupations. Il lui fallait limiter le nombre des confidents de façon à bien garder en main la direction des opérations.

Il lui fit des signes avant de se diriger vers les pins à l'ombre desquels avait été déposée la glacière contenant leur repas.

Anicia ressentit un creux à l'estomac. Elle sortit de l'eau avec force éclaboussures.

— J'ai une faim de loup !

— C'est normal... pour une louve grise, fit-il malicieusement.

« Il n'oublie rien, » pensa-t-elle.

— Je mets la table, s'écria-t-elle joyeusement en étalant une toile plastifiée sur le sable.

Elle poussa un profond soupir et promena un regard extasié alentour.

— Sephan bey a même pensé au vermouth *on the rocks* ! fit Cyrille.

Elle lui saisit la tête et l'embrassa fougueusement sur la bouche.

— Vous m'avez embrassé ! s'exclama-t-il sur un ton plaintif. Passe pour cette fois, mais si vous recommencez, gare à vous.

Elle se rappela l'avoir giflé quand il l'avait embrassée lors de leur nuit à l'île des Princes.

Elle eut un petit rire, étrangement troublé, et passa ses bras autour des épaules bronzées et tièdes. Sa tête se nicha dans le creux de l'épaule. Elle goûta la peau délicieusement salée.

Le corps viril fut parcouru d'un frémissement. Les lèvres de Cyrille cherchèrent la bouche de la jeune fille et il l'embrassa avec une telle ardeur qu'elle exhala un gémissement de plaisir.

Elle était à demi consciente quand il dégrafa son soutien-gorge ; la bouche ardente se referma sur les pointes durcies de ses seins, tandis que les mains nerveuses épousaient sa taille et ses hanches en une caresse sans fin.

Elle défaillait entre ses bras ; ses jambes se dérobèrent. Il accompagna sa chute et l'étendit sur le sable chaud. Eperdu de désir, il se penchait pour un nouveau baiser, lorsque le bruit d'un canot à moteur les fit sursauter. L'importun vint frôler la plage et la voyant occupée vira de bord et s'éloigna.

Anicia s'était ressaisie. Quand Cyrille voulut la reprendre entre ses bras, elle l'éloigna avec une ferme douceur. Un voile de tristesse s'étendit sur son visage. Il déposa un baiser dans le creux du bras de la jeune fille et se leva pour préparer les vermouths.

En fin d'après-midi, le *cabin cruiser* les déposa à Egüp, au fond de la Corne d'or. Mlle Dieulefit avait voulu montrer à ses amis la célèbre mosquée construite sur l'emplacement du tombeau de Eyoub Ansaï, compagnon du prophète.

Mehmet était présent. Irène riait nerveusement. Anicia comprit qu'elle n'était pas insensible à l'*erkeklit* — nom turc de la virilité — de l'accompagnateur et en fut amusée. Irène se sentit devinée et soutint le regard d'Anicia avec une expression de défi.

Mehmet se révéla un guide compétent et disert, mais il s'exprimait en un français emberlificoté, avec une prétention comique.

Le petit groupe entra dans une belle cour plantée de platanes séculaires dans lesquels nichent des hérons et des cigognes. Raymond Courtois ne put prendre en photo aucun de ces nobles volatiles, par contre les innombrables pigeons qui hantent le lieu se révélèrent des modèles complaisants.

Les non-musulmans ne peuvent franchir la porte verte qui ouvre sur le tombeau vénéré, mais on peut voir la châsse incrustée d'or par une fenêtre comportant une grille de bronze. A ses parties accessibles, cette grille brille d'un vif éclat car des milliers de mains implorantes s'y sont agrippées et des milliers de lèvres l'ont baisée. Les pélerins viennent demander au saint son intercession pour des maux de tous genres. On prétend qu'il est très efficace pour les femmes stériles.

Pour gagner le café Loti, on doit traverser le cimetière. Une porte de la mosquée ouvre sur une allée ombragée, tracée parmi les tombes. Les stèles, les cippes et les mausolées, se déploient en désordre dans un décor champêtre dominé par les fuseaux sombres des cyprès.

Les visiteurs firent une pose en haut de la colline pour admirer le splendide panorama de la Corne d'or. Mlle Dieulefit rappela que c'est à cette place que Pierre Loti venait rêver ; Mehmet évoqua éloquemment le destin de Byzance en termes si pompeux qu'il fit sourire Anicia et Cyrille au vif déplaisir d'Irène qui buvait les paroles de l'accompagnateur.

7

L'air serein portait la voix de Raymond Courtois. Mlle Dieulefit voulait conserver un témoignage de sa visite au café historique et prenaient des poses qui provoquaient les commentaires louangeurs du photographe.

Cyrille avait été requis pour faire une photo du couple et il attendait que Raymond Courtois lui confiât son appareil.

Mehmet assis à l'une des tables de la terrasse en compagnie d'Anicia et d'Irène, se renversa contre le dossier de sa chaise et dit, avec suffisance :

— Mesdemoiselles, vous plairait-il de connaître Istanbul *by night* ?

Anicia vit qu'à cette proposition Irène était devenue radieuse.

— J'ai promis ma soirée à M. Beaufort, dit-elle, invoquant le premier prétexte qui lui passa par la tête.

— Venez avec lui ! s'écria avec chaleur Mehmet, nous serons quatre et cela sera bien plus plaisant.

Il alla trouver Cyrille, à qui Raymond Courtois donnait un luxe de détails sur le fonctionnement de son appareil.

— Pardonnez mon intrusion, messieurs, dit-il, et

s'adressant plus particulièrement à Cyrille : Vous join-drez-vous à nous, monsieur ? J'aimerais montrer Istanbul, la nuit, à ces deux demoiselles. J'apporte la précision que vous serez mes invités.

Cyrille haussa les sourcils.

— Pourquoi pas ? dit-il.

— Vous me voyez enchanté, monsieur.

Gonflé d'importance, il retourna auprès des jeunes filles et ils convinrent de l'heure du rendez-vous pour le soir même.

— Tu as l'air au mieux avec lui, remarqua Anicia quand il fut parti.

— Il est intéressant, fit Irène sans paraître désireuse de se confier davantage.

Anicia demeura songeuse. Elle n'aurait pu imaginer qu'un homme comme Mehmet, dont on ne pouvait ignorer la sensualité primitive et la rusticité, sous le vernis universitaire, put séduire Irène. Irène, cet être raffiné et sensible, qui se liait peu, habituellement longue à s'apprivoiser, était très sélective, quant à ses fréquentations masculines.

Ce fut elle qui revint sur le sujet. Elles allaient et venaient dans leur chambre, dans le plus simple appareil. Juste leur slip. Anicia trouva enfin ce qu'elle cherchait : sa trousse à ongles et son vernis.

— C'est un homme attachant, il y a en lui un naturel, une spontanéité de l'instinct dont on a perdu le sens profond dans nos sociétés dégénérées, déclara Irène.

— C'est un Turc, fit Anicia. Gros-bouffi, dans son genre, déborde de naturel, tu sais.

— Ce que tu dis est grotesque, explosa Irène. Mehmet est un homme cultivé, il a des connaissances sur des tas de sujets. Il n'a rien à envier à Cyrille.

— Qu'est-ce que Cyrille vient faire là-dedans ? répliqua vivement Anicia.

— Tu as comparé Mehmet à cet affreux bonhomme, j'ai bien le droit de le comparer à Cyrille !

—. On ne va pas se chamailler pour des mots ! Ce que je voulais dire, c'est que Mehmet est typique du macho turc, tout imbu de sa *erkeklit,* sa virilité, si tu préfères.

— Tu donnes dans le féminisme ? ironisa Irène.

— Mehmet n'a vraiment rien d'exceptionnel.

— Je ne prétends pas qu'il est exceptionnel, fit Irène nerveusement. Ce que j'essaie de te faire comprendre, c'est qu'il m'apporte... ah, je ne sais comment l'expliquer... Voici : il se comporte naturellement en mâle, c'est assez rare pour que cela me plaise.

— Ou t'excite ?

Irène haussa les épaules. Anicia joua avec ses doigts.

— Qu'est-ce que tu penses de mon nouveau rouge ?

— Très joli. C'est parfait pour toi. Tu es brune et bien bronzée. Oh ! Mon Dieu, mais regarde mes mains ! Il faut que moi aussi, je me fasse les ongles.

— On va être en retard.

— Ces messieurs attendront.

Quand elles descendirent, elles tombèrent sur Mlle Dieulefit, en compagnie de Mme de La Bussière et du jeune Ludovic Lancelot. Ils attendaient Raymond Courtois.

— Nous allons à une représentation de *Rigoletto,* annonça Mlle Dieulefit.

— Vous êtes certaine que ce n'est pas chanté en turc ? s'inquiéta Mme de La Bussière.

— Vous avez lu le programme ? répondit avec patience Mlle Dieulefit. Tous les chanteurs sont italiens.

Anicia se tourna vers Ludovic Lancelot. C'était un bachelier blême, aux cheveux longs et gras, qui rechignait à se laver. Au demeurant, timide et charmant. Des parents fortunés l'avaient confié à Mlle Dieulefit.

— Vous aimez l'opéra ?

Il se troubla et balbutia quelques mots inintelligibles, mais qui, à en juger par sa grimace, traduisaient un manque d'enthousiasme évident.

— N'essayez pas de me souffler mon cavalier ! fit Mme de La Bussière, primesautière.

Ludovic eut l'air atrocement gêné.

« La soirée s'annonce bien ! » se dit Anicia amusée.

— Vous sortez avec M. Kurlu ? fit Mlle Dieulefit. Vous verrez, c'est un garçon des plus agréables : un véritable puits de science ! Avez-vous remarqué l'excellence de son français ?

Anicia ne put s'empêcher de poser une question qui lui brûlait les lèvres :

— Pourquoi, en ce cas, a-t-il choisi d'être accompagnateur ?

— Pour se frotter au monde, je présume.

« Au monde, ou aux filles ? » pensa Anicia.

— Il sélectionne ses groupes en fonction de leur intérêt culturel. Il prépare ses voyages avec soin ; ainsi, pour nous, il a travaillé à fond la question des Hittites.

Mlle Dieulefit prononça cette dernière phrase avec une componction qui exprimait la haute considération en laquelle elle tenait leur accompagnateur.

*
* *

Mehmet arriva dans une Chevrolet Bel-air des années 50, bleue, en deux tons, refaite à neuf. La radio-cassette laissait s'écouler la voix sirupeuse d'une chanteuse arabe.

Il portait une veste d'été à larges rayures jaune et noir, et un pantalon noir. Une chemise blanche et un nœud papillon complétaient l'ensemble. Il dégageait une entêtante odeur de jasmin et sa chevelure sombre luisait de brillantine.

Il avait retenu une table dans un restaurant réputé et fut sensible à l'accueil déférent du maître d'hôtel.

Le pittoresque de l'établissement était à la limite du décor d'opérette, mais l'atmosphère feutrée, les serveurs en costumes nationaux qui s'activaient avec zèle sous la surveillance du maître d'hôtel en habit, causaient une impression favorable.

Le regard de Mehmet se promena avec admiration sur le décor avant de solliciter l'approbation de ses hôtes. Il reçut avec une évidente satisfaction les compliments qu'il attendait. Visiblement, il s'était mis en quatre pour éblouir les deux jeunes visiteuses de son pays.

Il fit des suggestions pour le menu. On se décida pour des salades de crevettes et des *dolma,* des feuilles de vigne et de chou, des poivrons et des aubergines farcis ; auxquels devaient succéder des *dömen kebab,* minces filets de viande émincée grillés à la braise.

— Avec les hors-d'œuvre, on boit du raki, déclara Mehmet.

Avec une autorité sans partage, il donna ses ordres au maître d'hôtel à l'échine montée sur ressort.

Les desserts portaient des noms qu'il traduisit avec des regards humides bordés de visions célestes.

— Le *hamin göbegi,* c'est un nombril de femme et les *dilber dudagi* sont des lèvres de belle.

— Tout un programme, fit Cyrille nonchalamment. Et les hommes, qu'ont-ils à offrir ? Pas de « moustaches viriles » ou de « regards brûlants » ?

Mehmet grimaça un sourire, tandis que son regard trahissait une sourde animosité.

— Par contre, vous avez de bons vins, constata Cyrille qui continuait à lire la carte.

— Vous voulez dire des vins d'importation, fit Mehmet du bout des lèvres.

— Non, vos vins de pays qui sont excellents.

— Je suis très honoré que vous les appréciez.

Mehmet commanda un vin blanc sec pour commencer car Anicia et Irène ne tenaient pas à boire du raki, alcool de près de 50°, et un vin rouge corsé pour la viande.

Mehmet interrogea les étrangers sur leurs impressions, avec l'anxiété du Turc, préoccupé de la réputation de l'hospitalité nationale. Il s'épanouit sous le concert d'éloges.

— On dit que la cuisine turque est la troisième du monde, dit Irène. Je pense que la française est dans le lot. Quelle est l'autre, à votre avis ?

— La chinoise ! s'écrièrent Cyrille et Anicia d'une seule voix.

— De la chinoise ou de la française, quelle est celle que vous placez au premier rang ? demanda Mehmet avec gravité.

— Objectivement, la française, à cause des fromages et des vins que l'étranger nous envie, fit Cyrille avec un sourire qui sembla froisser le Turc. Mais je dois dire que la cuisine chinoise est plus sophistiquée. Les Chinois ont une imagination et une méticulosité inégalables dans la préparation de leurs mets.

— Vous connaissez bien la Chine ? demanda Mehmet, espérant le confondre.

— Non, pas la Chine continentale, répondit tranquillement Cyrille, mais l'Asie du Sud-Est : Hong-Kong, Taïwan et l'Indonésie.

Il raconta avec brio ses voyages et fit rire les jeunes filles en racontant une mésaventure qui lui était arrivée à Hong-Kong.

— Les tailleurs chinois sont réputés pour leur adresse et leur rapidité. Ce sont, en outre, de remarquables copieurs. J'avais donné un costume à reproduire dans trois tissus différents. Imaginez ma surprise en voyant un trou scrupuleusement reproduit dans chacun des trois pantalons neufs. J'en fais la remarque au tailleur et il me montre un trou de brûlure de cigarette dans le modèle que je lui avais fourni.

— Vous connaissez des pays bien instructifs, fit Mehmet.

— Tout le monde voyage de nos jours, avec les charters, s'écria Irène.

— Quand les Turcs voyagent, ce n'est pas pour leur plaisir, dit Mehmet. Les Turcs sont les nouveaux esclaves de l'Europe.

Un silence gêné succéda à cette déclaration.

— Vous ne pouvez pas rendre responsables des difficultés de votre pays ceux qui emploient vos chômeurs, fit Cyrille. Mais je pense que c'est un sujet que nous ne réglerons pas ce soir.

Mehmet évita de répondre. Il se tourna vers Anicia.

— Cela fait-il longtemps que monsieur votre père vit en France ?

— Oui, plus de dix ans, fit-elle brièvement.

Il plongea son regard où brûlait un feu sombre dans les yeux bleus, soudainement violacés, de la jeune Kurde.

— Vous étiez donc une enfant quand vous avez été arrachée à votre patrie ? dit-il d'une voix douce. Et vous n'avez pas oublié notre langue ; l'avez-vous cultivée en exil ?

— Oui, grâce à mon père qui est resté très attaché à son pays.

— C'est un patriote ! Pourquoi ne revient-il pas vivre parmi ses frères ?

Anicia pâlit. Cyrille intervint pour la soulager et demanda aimablement à leur hôte :

— La fréquentation des étrangers ne vous a-t-elle pas donné l'envie de voir de nouveaux horizons ?

— J'ai été invité en Angleterre, à Londres, notamment ; en Allemagne fédérale ; en Amérique, à Austin, capitale du Texas. Je m'y rendrai peut-être, en simple visite, plus tàrd... J'ai la conviction que je puis être plus utile à mon pays sur notre sol, qu'à l'étranger. Atartük a dit : « On n'emporte pas sa patrie à la semelle de ses bottes. »

— Atartük a dit ça, lui aussi ? fit Cyrille avec un léger sourire.

— Atartük l'a dit avant, affirma Mehmet. La situation politique de la Turquie est instable, monsieur, nous avons huit partis politiques, c'est beaucoup trop. En outre, nos minorités, manipulées par l'étranger, nous causent des difficultés. L'Est du pays aux frontières de l'Irak et de l'Iran, est peu sûr. Les Turcs montagnards se livrent à des exactions contre les voyageurs, ils se livrent au pillage et provoquent des désordres.

— Les Turcs montagnards, ce sont des Kurdes ! fit Anicia avec une rage contenue, ce ne sont pas des pillards.

Irène lui adressa un regard de mise en garde, mais Anicia était lancée :

— Les Kurdes sont un peuple avec une langue originale et ils ont une terre, le Kurdistan, aussi grand que la France ! Ce sont des indo-européens, alors que les Turcs sont des altaïques !

— L'unité de la Turquie exige que toutes ces races se fondent, cela a été de tout temps le destin de cette nation, c'est le sens de son histoire, c'est aussi sa grandeur !

— Et sa honte ! rugit Anicia.

— Voyons, Anicia, vous êtes trop impulsive, dit Cyrille en lui tapotant le bras. Tous les pays ont des problèmes avec leurs minorités... Dernièrement, elle s'est disputée avec un Anglais à propos de l'Irlande du

Nord... Et pourtant elle n'est pas Irlandaise, n'est-ce pas ?

— Mademoiselle a le sang chaud, fit Mehmet admiratif.

— Allons, mes amis, fit Cyrille avec dynamisme, ne troublons pas ce délicieux dîner avec la politique. Mon cher Kurlu, vous nous avez traités en seigneur.

— Oui, vraiment, fit Irène, c'était sensationnel.

Mehmet buvait du petit lait.

— J'ai été très honoré que vous ayez consenti à me privilégier de votre délicieuse compagnie, dit-il.

— Pourrai-je vous inviter à mon tour ? fit Cyrille.

— En France ? demanda naïvement Mehmet.

Cyrille eut un rire amical :

— En France, volontiers, mais auparavant, ce soir, dans un endroit distrayant.

— Il ne saurait en être question, monsieur, fit Mehmet avec emphase. Ces demoiselles n'ont qu'à exprimer leurs désirs et je serai leur dévoué serviteur.

— Je m'en remets à vous, fit Irène avec un sourire docile.

Sous la table, son pied appuya sur celui d'Anicia.

— Moi aussi, fit celle-ci.

— Et vous, monsieur, avez-vous un souhait à formuler ? fit Mehmet comblé par l'humilité des femmes.

— Oui. J'ai vu une photo d'une superbe danseuse dans un magazine de spectacle. Ça m'amuserait de voir des danses du ventre dans un cabaret qui ne soit pas un piège à touristes.

Mehmet eut un sourire serré.

— C'est que... commença-t-il en hésitant, ce ne sont pas des lieux fréquentables pour des demoiselles distinguées.

On se récria joyeusement. Soulagé, il proposa :

— Je connais un établissement de réjouissances pour

amateurs éclairés où se produit Leïla Loukoum, surnommée la Perle du Bosphore.

Il les emmena dans un petit théâtre populaire dont le public était presque exclusivement composé d'hommes venus pour la célèbre danseuse.

L'ambiance était survoltée. L'objet de l'intérêt explosif des spectateurs, Leïla Loukoum, était une petite personne brune, grassouillette avec une chevelure qui lui tombait sur les reins.

Un faux diamant de deux carats, à demi enfoui dans son nombril, brillait de mille feux. Une sorte de coquille Saint-Jacques en strass faisait office de cache-sexe ; un voile de gaze retenu par un fil d'or noyé dans le bourrelet de la taille flottait comme une brume scintillante autour des jambes. Ce costume qui dévoilait généreusement l'anatomie de l'artiste, se complétait de deux cônes métallisés qui coiffaient, tels des chapeaux trop petits, les sommets de ses seins opulents.

L'orchestre composé de trois musiciens était installé sur une estrade, devant une toile peinte représentant le Bosphore au soleil couchant.

Au son des cymbales, des flûtes et des tambourins qui accompagnaient un chant très rythmé, l'aguichante Leïla se déhanchait, remuait les seins, faisait rouler son ventre avec une ardeur effrénée. Des ondes électriques parcouraient la petite salle enfumée.

Anicia était fascinée par la tension qui régnait parmi les hommes. La danseuse lui apparut sous un jour pathétique, transfigurée par le désir de ses admirateurs, symbole éternel de la femme source de rêve et de plaisir.

Leïla Loukoum fut ovationnée ; transpirant, le khôl dégoulinant, le fond de teint jaspé, elle salua, enivrée par son succès. Partant du creux des seins, ses petites

mains grasses s'envolaient comme des oiseaux de bonheur vers les mâles en délire.

A la sortie, Mehmet et ses invités, assourdis de cris et
de musique, gorgés de fumée et d'odeurs lourdes et
tenaces, marchèrent en parlant vaguement du spectacle,
heureux de se retrouver à l'air libre. Mehmet paraissait
avoir emporté une part de l'excitation des spectateurs. Il
parlait haut et déshabillait les femmes du regard.

Quand ils arrivèrent sur la petite place où était garée
la Chevrolet, ils aperçurent un tacot innommable qui
tamponnait allégrement les voitures pour se dégager.

Mehmet poussa un grand cri et sortant un redoutable
couteau à cran d'arrêt se rua sur le destructeur.
L'homme remonta sa vitre. Mehmet tenta d'ouvrir la
portière et, ne pouvant y parvenir, donna des coups de
couteau dans la carrosserie.

Anicia et Irène, effrayées par cette sauvagerie,
n'osaient plus faire un pas.

Le conducteur, en sécurité dans sa boîte, se mit à
injurier son agresseur et la femme qui était à ses côtés
poussa des glapissements.

Cyrille ceintura Mehmet.

— Kurlu, vous êtes fou ?

— Laissez-moi, je vais tuer ce fils de chienne !

Et, dans sa langue maternelle, il déversa sur l'ennemi
un torrent d'injures effroyables.

Cyrille réussit à l'arracher du tacot qui, après un
dernier froissement de tôle, s'éloigna à toute vitesse.

Cyrille lâcha Mehmet.

— Votre voiture a juste une éraflure, dit-il.

Mehmet se jeta au volant de la Chevrolet. Le moteur
rugit.

— Mehmet ! cria Irène en s'accrochant à la voiture.

Il ouvrit la portière et elle tomba sur la banquette

avant. La Chevrolet vira en gémissant sur ses pneus et fonça à la poursuite du tacot.

Cyrille secoua la tête et poussa un soupir désolé.

— J'espère qu'elle réussira à le calmer, dit-il.

Il prit le bras d'Anicia frappée par la démence de Mehmet.

— Quel sauvage ! fit-elle.

— On n'a pas intérêt à avoir un accident dans ce pays, fit Cyrille. Si l'on renverse un piéton et pis encore, un enfant, la meilleure chance de survie est de rouler sans s'arrêter jusqu'au poste de police le plus proche.

— Les Turcs manifestent une grande violence dans l'expression de leurs sentiments, quels qu'ils soient.

— Et les Kurdes, ce sont des super-Turcs, n'est-ce pas ?

— Les Kurdes ne sont pas des Turcs, explosa Anicia. Ce sont des...

Cyrille éclata de rire et lui ferma les lèvres d'un baiser.

Puis il reprit son souffle et déclara :

— Il va falloir trouver un taxi, à présent.

— Je n'ai aucune idée de l'endroit où nous sommes.

Les rues s'étendaient, désertes. Ils continuèrent néanmoins à avancer à l'aventure. Leur marche se transforma en flânerie. Ils n'avaient aucune notion du temps, échangeant leurs impressions, parlant de choses et d'autres.

Une petite Fiat s'arrêta à leur hauteur. Le conducteur ayant reconnu des étrangers leur proposa de les déposer à leur hôtel.

Durant le trajet, ils furent soumis au flot de questions de l'aimable Turc. Ils durent décliner une invitation à dîner pour le lendemain. L'homme leur donna sa carte, consigna dans un carnet celle de Cyrille et les adieux durèrent un temps infini.

Dans l'ascenseur, Cyrille serra Anicia contre lui. La chaleur de leurs corps les embrasait et ils échangèrent d'enivrants baisers.

Il la reconduisit jusqu'à sa porte. L'hôtel dormait. Le couloir était désert. Les caresses de Cyrille se firent plus audacieuses. Leurs cœurs battaient à l'unisson. Anicia tremblait entre les bras musclés de l'homme assoiffé d'amour.

— Non... il ne faut pas, murmura-t-elle d'une voix chavirée.

Sa main tâtonnante trouva la poignée de la porte. Elle l'ouvrit et glissa des bras de Cyrille dans la chambre emportée par une vague voluptueuse et sans fond. Pantelante, elle s'appuya contre la porte qui la séparait de la folle tentation.

Elle poussa un soupir douloureux et son regard noyé fit le tour de la chambre. Irène n'était pas rentrée.

8

— Je ne t'ai pas entendue rentrer, dit Anicia le lendemain matin.

Irène rougit légèrement. Elle raconta que la poursuite en voiture s'était terminée en queue de poisson. Mehmet avait sillonné le quartier sans retrouver le chauffard.

— Quelle histoire pour une éraflure ! fit Anicia.

— Tu en as de bonnes, toi ; la voiture n'est pas à lui.

— Ça lui apprendra à frimer.

— Tu as une prévention contre lui.

— Moi ? non, c'est toi qui n'es pas objective. Mehmet m'est complètement indifférent. Je le vois tel qu'il est : un macho primaire et vaniteux.

— Il est cultivé et t'en remontrerait.

— On peut être cultivé et se conduire en primaire... si tu vois ce que je veux dire.

— Tu es de parti pris. Evidemment, ce n'est pas un minet.

« Dieu, que les amours des autres sont fatigantes ! » pensa Anicia.

Elle avala une tasse de thé.

— Quels sont tes projets, aujourd'hui, tu sors avec le groupe ?

— Mehmet doit m'appeler, dit Irène d'un ton dégagé. Et toi ?

— Je dois m'occuper des cartons, dit Anicia avec une pointe d'agressivité.

Irène eut un air de jubilation intérieure.

— Tu as oublié que tu m'as mise au défi de trouver une solution pour le transport des cartons ? dit-elle.

— Cela n'a pas l'air de beaucoup te préoccuper, fit Anicia.

Irène parut se réjouir de la sensation qu'allait provoquer sa révélation.

— Détrompe-toi. J'en ai parlé à Mehmet.

Anicia la regarda avec horreur.

— Tu es devenue folle ? cria-t-elle.

Le visage d'Irène refléta l'exaltation que donne une conviction profonde.

— Il est de notre bord. Remarque, il se doutait de quelque chose depuis votre rencontre, quand tu l'as pris pour Bibalchar. Il a d'abord cru qu'il s'agissait d'une affaire de drogue. Mais il est si bon et si généreux qu'il est prêt à nous aider.

Anicia était effondrée.

« L'idiote ! »

— Qu'est-ce qu'il y a encore qui ne va pas ? fit Irène.

— Pauvre idiote ! Tu t'es laissé tirer les vers du nez.

— Tu détestes Mehmet, s'écria Irène et tu n'admets pas que j'aie du succès. Tu n'est qu'une petite sectaire, bornée et autoritaire !

Anicia s'empara du plateau du petit déjeuner et le projeta à travers la chambre avec un fracas de vaisselle brisée. Instinctivement, Irène s'était protégée le visage avec ses bras.

— Je me fiche bien de Mehmet et de tes amours de vacances, hurla Anicia. Jamais je n'aurais dû t'emmener avec moi ; tu n'es qu'une poule mouillée !

Anicia faillit l'empoigner, mais la tendresse qu'elle portait à Irène fit entendre sa voix et retint la main qui allait frapper. Elle serra les poings et se mit à réfléchir.

— Te rends-tu compte, au moins, de ton imprudence ?

— Non. Et je suis prête à en discuter.

Anicia leva les yeux au ciel.

— Discuter ! Il n'y a pas à discuter. Je n'ai aucune confiance dans ton Turc.

— Moi, si ! fit Irène en se raidissant.

— Crois-moi. Je l'ai jugé. Je ne me trompe pas : il est faux comme un jeton.

— Moi, non plus, je ne me trompe pas. J'ai confiance en lui.

Elles se défiaient, vibrant l'une de passion amoureuse l'autre de conviction entêtée.

— Si tu consentais seulement à prendre l'avis d'autrui, dit Irène.

— Ah ! C'est le bouquet ! éclata Anicia. Quand tu as tout déballé à ton joli cœur, tu n'es pas venue me demander mon avis ?

Irène fit une tentative loyale pour expliquer son comportement :

— Mehmet est un homme tellement sensible et avide d'amour. Il s'est confié à moi avec une sincérité qui m'a touchée, tu ne peux pas savoir... Son père était instituteur. Il est le fils d'une famille de douze enfants, tu te rends compte ? Et l'on parle de l'égalité des chances ! Il a dû travailler dur pour faire des études, tout en travaillant. Il a fait tous les métiers. Il est licencié d'Histoire et il parle quatre langues étrangères qu'il a étudiées dans des bouquins. Pas question pour lui de disques ou de cassettes ou d'échanges au pair !

— C'est un jeune homme méritant, fit Anicia qui entrevoyait combien son amie avait pu être dupe de ses sentiments. Mais tu ignores tout de ses convictions politiques.

— Oh, je t'en prie, ne sois pas obsédée par la politique. Il y a autre chose dans la vie. Quand un homme et une femme s'aiment, il n'est pas question de politique.

— Je n'aimerai pas un homme qui soit contre les Kurdes.

— Mehmet n'a rien contre les Kurdes, soutint Irène.

Anicia comprit que rien de ce qu'elle dirait n'ouvrirait les yeux d'Irène. Elle sourit vaguement.

— Pardonne-moi, tu sais que je suis soupe au lait.

— Je te connais et je t'aime telle que tu es.

— Enfin, comprends-moi, j'avais trouvé la solution à notre problème, et patatras, tu prends une initiative que je persiste à croire désastreuse.

— On peut dire que tu es butée !

— J'ai une tête de Kurde, que veux-tu !

— A présent que tu m'as traitée plus bas que terre, voyons ta solution géniale ?

— Je vais acheter des sacs de toile de différents modèles que je remplirai des médicaments et des instruments médicaux. Je les joindrai aux bagages du groupe, chacun croira que le sac appartient au voisin. En surveillant ça de près, à nous deux, je ne pense pas que ça pose des problèmes, il n'y a plus de pesée de bagages ni de douane.

Irène gloussa et déclara avec un air mi-triomphant, mi-moqueur :

— Mehmet propose de mettre les cartons dans le car qui nous attendra à Ankara. Les grands esprits se rencontrent...

Une sorte d'étonnement un peu contrarié se peignit sur les traits d'Anicia.

« Il est très astucieux, pensa Anicia. Le meilleur

moyen de ne pas perdre de vue les cartons n'est-il pas de voyager avec eux ? »

L'empressement de Mehmet à les aider éveillait ses soupçons. Elle se promit de faire en sorte que le Turc crut à sa totale adhésion. Il était vaniteux comme un paon, cela ne devait pas être bien difficile de lui faire accroire qu'il l'avait subjuguée.

Elles sortirent pour acheter des sacs du genre de ceux utilisés par les touristes.

De retour à l'hôtel, elles trouvèrent Mehmet qui les attendait. Il ne fit aucune allusion à l'incident de la nuit passée. Il coula vers Anicia un regard lourd de désir, en s'arrangeant pour ne pas être vu d'Irène.

— Pourquoi ne m'avez-vous pas demandé mon aide ? dit-il avec chaleur. Je suis dévoué corps et âme aux œuvres humanitaires quand elles inspirent des demoiselles au cœur noble !

— Irène et moi nous vous sommes très reconnaissantes de votre aide chevaleresque, dit Anicia en termes propres à toucher le personnage.

— Vous n'avez pas à me remercier, protesta-t-il, je suis chaudement honoré de satisfaire vos exigences diverses...

Il sourit d'un air entendu.

Anicia écourta cet épanchement sans trop de brusquerie et ils se rendirent ensemble dans la resserre à bagages afin de procéder au remplissage des sacs.

— Vous n'avez pas de cadenas ? remarqua Mehmet. Je vais en acheter. Il arrêta le geste d'Anicia qui ouvrait son sac : Je vous en conjure, ne ternissez pas des relations idylliques par des interférences mercantiles !

Ils regagnèrent le hall.

— Je vous accompagne, dit Irène à Mehmet qui allait acheter les cadenas.

Il adressa à Anicia un regard d'homme victime de son

succès et qui sollicite le pardon de celle qu'il est contraint de délaisser. Il esquissa un baiser du bout des lèvres.

Anicia vit Cyrille qui avait assisté à la scène. Assis dans un fauteuil, il avait été, jusqu'alors, dissimulé par le journal qu'il lisait. Il se leva.

— Qu'est-ce que vous fricottez avec notre beau Mehmet ?

Elle entrevit les complications qu'engendrerait une rivalité amoureuse entre les deux hommes. Elle ne songea qu'à ses précieux sacs.

— Ah vous, mêlez-vous de vos affaires !

Elle tourna vivement les talons, le laissant abasourdi. Mlle Dieulefit l'arrêta au passage et fit un pas vers Cyrille. Anicia fut obligée de la suivre.

Mlle Dieulefit tenait une lettre.

— C'est merveilleux ! dit-elle.

Elle tendit la lettre à Anicia, incapable d'en dire davantage.

« Chère amie, disait la lettre, je vais retrouver Arturo à Izmir. Je vous rejoindrai en cours de route. Affectueusement, votre Olympe de La Bussière. »

Stupéfaite, Anicia rendit la lettre que Mlle Dieulefit donna à Cyrille.

— Ah ! L'Amour... dit Mlle Dieulefit, les yeux humides.

Anicia se sentit envahie d'une douce émotion à la pensée de la vieille dame volant vers son amoureux.

— Vous avez raison, c'est merveilleux, fit Cyrille en rendant la lettre.

Après un regard glacial à Anicia il s'éloigna à grands pas.

*
* *

Le jour suivant les sacs, accompagnant les bagages du groupe, prenaient l'*Anadolu-express* pour Ankara et, deux jours plus tard, ils étaient enfournés dans le coffre du car Mercedes qui devait les emporter vers l'est.

Le chauffeur s'appelait Mustapha. C'était un homme jovial, doté d'une énorme moustache, taillé comme une barrique nantie de jambes torses saucissonnée dans un jean. Son aide et cousin, Yapuk, plus jeune avait la taille au-dessous et sa moustache de deux tiers moins importante que celle de son chef, ce qui expliquait, peut-être, son rôle subalterne.

Les deux compères accueillirent avec de larges souri-res les voyageurs qui avaient remis leurs vies entre leurs mains. Leurs yeux vifs et malicieux voltigèrent de l'un à l'autre, avec des pauses sur les femmes.

Ignorant qu'Anicia parlait le turc, ils échangeaient crûment leurs impressions.

Anicia et Irène assistèrent avec un serrement de cœur au rangement des sacs dans le coffre aménagé dans le flanc du car. Elles comprirent que le point de non-retour était atteint.

Les chromes ternis, bosselé comme un vieux briscard rescapé de périlleuses batailles, le car évoquait les incertitudes de la route qui s'enfonçait vers l'est.

Au-dessus de la cabine, une inscription lançait un défi : *Allahim dedigi olur* — « Ce que Dieu a dit arrivera. » On retrouve cette sentence sur nombre de camions. Il semblerait qu'elle inspire aux conducteurs nationaux un fatalisme que partagent rarement leurs passagers étrangers.

Au tableau de bord, le *nazarlik,* fétiche contre le mauvais œil, se balançait au bout d'une chaîne.

Dans l'esprit d'Anicia, ce long voyage en car devait demeurer comme le souvenir d'un jeu dangereux : la roulette turque, tout aussi suicidaire que la roulette russe.

L'avant du car appartenait à Mustapha et à Yapuk. Ils y mangeaient, buvaient, regardaient des bandes dessinées, écoutaient la radio, bavardaient inlassablement et toutes ces occupations captivantes laissaient à peine le temps au chauffeur de jeter par intermittence un coup d'œil sur la route.

Yapuk vouait une admiration sans borne à Mustapha. Il rêvait de conduire, mais le chauffeur défendait son volant, abandonnant généreusement à son aide, les manœuvres de parking.

La promiscuité quotidienne accentua la scission du groupe en deux partis. Bertrand Dubois-Lagrume n'eut aucune peine à s'imposer en leader de ceux que l'état de grâce de Mlle Dieulefit laissait indifférents. Il émit des réflexions acerbes et montra un vif soulagement quand il sut que Mme de La Bussière ne prenait pas le départ. Mlle Dieulefit, qui n'avait mis que ses fidèles dans la confidence, observa une discrétion empreinte d'un mystère qu'elle réchauffait sur son sein comme un oiseau.

Profitant de sa fonction d'accompagnateur, Mehmet exerça une pression constante sur Anicia, persuadé que leur complicité lui assurait l'impunité.

Anicia tremblait qu'Irène ne découvrît le manège du Turc. Visiblement, il la voulait. Son désir était brutal. Impératif. L'homme ne doutait pas d'arriver à ses fins, tôt ou tard. Et comme pour narguer celle qu'il entendait posséder, il jetait des miettes d'amour à Irène qui quémandait des caresses.

Anicia était agitée par un cruel débat. Elle ne voulait pas encourager Mehmet, mais il lui était interdit de provoquer sa jalousie ou sa colère en s'abandonnant à son amour pour Cyrille.

Ce dernier les observait à distance. Il s'était considérablement refroidi vis-à-vis d'elle. Que pouvait-il imaginer ? Supposait-il que, semblable à Irène, elle pouvait succomber à la virilité agressive du Turc ? Qu'une obscure connivence d'Orientaux les rapprochait ou bien qu'ennemis séculaires ils exerçaient, l'un sur l'autre, une attraction trouble ?

Mais Cyrille ne disait plus rien de ce qu'il pensait. Aimable, souriant à l'occasion, toujours parfait homme du monde, il semblait attendre son heure.

Mehmet affichait envers Cyrille une assurance d'amant comblé. Dès qu'il se savait observé, il affectait une grande familiarité avec Anicia se collant à elle, pour murmurer, contre son oreille, des phrases aussi anodines que : « Un verre d'eau fraîche vous ferait-il plaisir ? » et se montrait exagérément empressé. Il se croyait d'une suprême subtilité en étendant ce jeu à Irène. Anicia se désolait de voir son amie séduite par un tel personnage.

Un premier éclat entre les deux hommes se produisit à Boğaz Köy, l'ancienne Hattusa, capitale des Hittites.

Le musée d'Ankara avait attisé l'enthousiasme de Mlle Dieulefit. Son exaltation ne cessa de croître jusqu'à ce qu'elle foulât le sol prestigieux. Il semblait qu'elle eût rendez-vous avec Suppiluliuma, le dernier roi hittite dont elle associait l'image aux traits du guerrier dont le relief ornait, à l'origine, la Porte des dieux, à Hattusa et qu'elle avait admiré à Ankara.

Le site d'Hattusa est très impressionnant avec ses montagnes majestueuses qui ont retenu le souffle d'un lointain passé. Les ruines, se mêlant aux rochers, s'étendent sur un plateau bordé, à l'est, par un fleuve dont un affluent porte le nom de Délice. Ce dernier détail enchantait Mlle Dieulefit qui voulait y voir le symbole de rites voluptueux.

D'énormes blocs de pierre, les socles de statues

absentes, les vestiges torturés de nombreux tremblements de terre et les blessures laissées par les vandales, évoquaient irrésistiblement une histoire d'une tragique grandeur.

— On ne peut s'empêcher de penser à Mycènes et à Tyrinthe ! s'écria Mlle Dieulefit.

— C'est beaucoup plus grand que Mycènes, dit brutalement Mehmet qui nourrissait une haine historique contre les Grecs. Le périmètre d'Hattusa mesurait plus de six mille mètres. Le palais royal, à lui seul, était aussi vaste que l'acropole de Mycènes.

Anicia s'éloigna en longeant les remparts plaqués de vert-de-gris avec, par endroits, des herbes blondes qui poussaient avec persévérance entre les joints des pierres. Elle passa sur la pointe des pieds non loin d'un lézard qui ne fit pas un mouvement pour se sauver.

Elle s'assit sur la base d'une colonne renversée et demeura plongée dans ses pensées. Elle avait perdu la notion du temps quand Mehmet apparut. Il s'appuya sur la pierre et avançant son visage jusqu'à la toucher, il murmura :

— Je te regardais, tu m'es apparue belle comme une statue.

Anicia dissimula sa gêne sous un faible sourire.

— Où sont les autres ?

— Ils font des photos.

Elle tenta de se lever ; d'une main ferme, il la maintint assise.

— Tu as tout ton temps.

— Où est Irène ? demanda-t-elle le cœur battant.

Il répondit par un geste vague et, avec un sourire cynique, la prit par la main. Son regard lubrique fit courir un frisson le long de l'échine de la jeune fille.

— Viens, dit-il en tentant de l'entraîner dans une excavation, sous un éboulis de blocs de pierres.

— Voyons, Mehmet, fit-elle avec un rire nerveux.

— Ma douce colombe... murmura-t-il, éperdu, en lui caressant les seins.

Elle dissimula son affolement. Il commença à déboutonner le chemisier et au contact de la peau tiède, il se mit à pousser des gémissements.

— Mehmet ! fit-elle en lui saisissant les poignets.

Il roulait des yeux exorbités et sa bouche entrouverte laissait apercevoir ses dents étincelantes.

— Tu me rends fou, divine stimulatrice de mes sens ! s'écria-t-il d'une voix rauque. Avoue que tu gémis à la lune en pensant à notre union charnelle ?

— Non... Non, je vous assure, dit-elle avec effroi.

Il était reparti à l'assaut et tentait de déboutonner le jean de la jeune fille.

— Tu miaules après ton Mehmet, n'est-il pas vrai ? Je t'entends, la nuit, et je ne puis dormir.

— Je vous assure que ce n'est pas moi.

— Donne-moi tes lèvres...

— Irène pourrait arriver.

— Et puis après ? ricana-t-il.

— Vous lui plaisez beaucoup.

Il eut un sourire fat.

— Oui, je sais. Mais je ne peux pas m'apitoyer sur toutes les femmes qui sont folles de moi. Mais, sois sans crainte, c'est toi ma favorite.

— Vous me connaissez à peine.

— L'allumette connaît-elle le frottoir qui l'enflamme ?

— Vous n'éprouvez pour moi qu'une flambée de désir.

— Profite de ma flamme, ma petite pomme de pin. Demain, peut-être une rivale forcera mon cœur !

— Attendons un peu pour voir si votre cœur résiste à l'épreuve.

— Mehmet n'attend pas! rugit-il en essayant de la renverser par terre.

Sa bouche gourmande cherchait la bouche de la jeune fille qui faisait la grimace au contact de la moustache qui lui balayait la face.

— Monsieur Kurlu, on vous demande, fit soudain une voix tranchante.

Mehmet sursauta, comme piqué par une guêpe. Il lâcha sa proie et releva la tête pour apercevoir Cyrille. Il se mit sur ses pieds et s'épousseta.

— Allez dire que je viens, dit-il avec une désinvolture pesante.

Cyrille avança d'un pas. Il grandit encore sa haute taille et jeta d'une voix cinglante :

— Monsieur Kurlu, ici, c'est vous qui recevez des ordres. Filez.

Le Turc blêmit. Cyrille fit un nouveau pas, les bras ballants, légèrement écartés du corps. Ses pieds se vissèrent dans le sol.

— Vous êtes dur d'oreille ?

Une lueur démente traversa les yeux du Turc. Ses muscles jouèrent comme ceux d'un félin prêt à bondir. Il cracha une injure en sa langue natale.

— Venez, Mehmet, fit Anicia d'une voix tremblante.

Il tressaillit. Elle le poussa de côté, pour passer au large de Cyrille et ils redescendirent vers la Porte des lions.

— Ah ! Les voici tous les trois, s'écria Mlle Dieulefit. Venez vous faire photographier, ce serait dommage de ne pas conserver un souvenir d'Hattusa.

— Anicia, mettez-vous au milieu, recommanda Raymond Courtois. Monsieur Kurlu, souriez, et vous aussi, monsieur Beaufort... Voyons, Anicia, ne soyez pas si crispée...

Mlle Dieulefit prit à témoin Rosette Dubois-Lagrume.

— Je comprends leur air grave. Ces ruines empreintes de mystères frappent l'imagination.

Rosette, dont le mari disait qu'elle avait une cervelle d'oiseau, écoutait ce qu'on lui disait avec un regard insondable.

Un peu plus tard, lorsqu'on fut redescendu des ruines, Mlle Dieulefit, qui trouvait en elle une auditrice attentive, murmura :

— Quand je pense que c'est ici que fut assassiné Moursil Ier à son retour d'expédition en Babylonie, il y a vraiment de quoi frémir, ma chère amie.

Rosette promena autour d'elle son regard transparent. Un serveur bedonnant servait des limonades glacées à la terrasse du restaurant Boğaz Köy, en face du petit musée. Son regard revint se poser sur Mlle Dieulefit qui hocha gravement la tête et posa une main rassurante sur le poignet osseux de la jeune femme.

— Si les pierres pouvaient parler, dit-elle.

— Où irions-nous, les murs ont déjà des oreilles ! s'écria finement Bertrand Dubois-Lagrume.

Dans le car, Anicia et Irène se mettaient l'une auprès de l'autre. Les passagers avaient ainsi leurs habitudes. Cyrille s'asseyait seul, au fond, et nul ne s'était avisé jusqu'alors de venir le déranger.

Ce jour-là, Anicia vint occuper la place libre à son côté.

9

La route était barrée par un troupeau de moutons. Le berger, une pelisse en peau de mouton jetée en travers des épaules, s'approcha à pas lents du car arrêté. Il était coiffé d'une casquette verdie et son visage recuit disparaissait presque entièrement sous une barbe en chiendent.

Mustapha l'interpella allègrement et, avec Yapuc, ils se lancèrent dans un échange de nouvelles passionnantes.

— Où sommes-nous ? interrogea Irène, émergeant de son sommeil.

— A une centaine de kilomètres d'Erzurum, répondit Anicia.

— Si ces dames et ces messieurs désirent se dégourdir les jambes, c'est le moment d'en profiter, dit Mehmet.

Le car se vida lentement de ses passagers.

— Je crois qu'il y a matière à photos pittoresques, dit Mlle Dieulefit.

— Une bonne photo de route : le car, avec les moutons, ce sera très vivant, opina Raymond Courtois.

— N'oubliez pas le berger.

— N'ayez crainte, chère amie, il sera... dans le champ !

102

Mehmet offrit une cigarette au berger qu'il attira à l'écart. Il profitait des moindres occasions pour se donner de l'importance. Mustapha et Yapuk échangèrent un regard moqueur. Les cousins se gaussaient des prétentions de l'accompagnateur. Celui-ci, qui partageait la table des voyageurs, en avait éloigné le chauffeur et son aide qui mangeaient à part.

Cyrille s'éloigna de quelques pas, respirant à plein poumons l'air sec et sain. Anicia admira son élégante virilité quand il se planta au milieu de la route pour s'imprégner du paysage.

Le ruban de la route se déroulait dans la steppe du plateau. On approchait des Karasus Aras, les montagnes de l'Est. A l'horizon se profilaient les rudes sommets sur un ciel bleu acier.

De l'autre côté de la route, au bout d'un maigre champ entouré de murets de pierres sèches, on pouvait voir une humble maison qui avait été, jadis, blanchie à la chaux et dont les grossières ouvertures étaient peintes en bleu canard. Quelques brebis paissaient dans un enclos. Un chien accourut en aboyant. Bertrand Dubois-Lagrume l'excita et lui lança des cailloux.

Une paysanne, en robe bleue et chandail jaune, la tête coiffée du voile blanc remontant jusqu'à la bouche, apparut sur le seuil de l'habitation. Un homme se montra à son tour et siffla le chien.

Le paysan offrit aux voyageurs de l'ayran, boisson faite de yaourt et d'eau. Il s'excusa de ne pas avoir suffisamment de verres. Sa femme les rinça à mesure.

Bertrand Dubois-Lagrume sortit son portefeuille. Anicia l'arrêta à temps.

— Ne faites pas ça, vous le froisseriez.

— Bah ! Un petit bakchich n'a jamais fait de mal aux dents.

— Cet homme est pauvre, évitez de lui en faire

l'affront ; pour lui, c'est un honneur d'accueillir des étrangers. Si vous désirez le remercier, offrez-lui une cigarette.

— Il faut choisir entre le tabac et la santé, gloussa le commerçant.

Il tendit un paquet d'américaines au paysan qui en saisit une d'un geste délicat.

— Sers-toi, mon petit père, profites-en, fit le Français en agitant le paquet.

— *Tesekkür ederine,* dit le Turc en prenant une cigarette supplémentaire.

— C'est ça, *bachi-bouzouk !* fit le Français en s'esclaffant.

Le Turc riait avec simplicité et tirait avec volupté des bouffées de la *long size.* Anicia considéra Bertrand Dubois-Lagrume avec un tel mépris qu'il perdit contenance.

Il houspilla sa femme.

— Rosette, qu'est-ce que tu fais là, plantée comme un mannequin ? Viens, il n'y a rien d'intéressant à voir.

La femme du paysan réapparut après le départ des étrangers. Elle souriait. Un trou sombre marquait l'absence de quelques dents. Ses yeux noirs et profonds demeuraient fixés sur la belle voyageuse.

Anicia répondit aux questions de l'homme avec un luxe de détails, ce qui était une façon de rendre hommage à l'importance de son interlocuteur. Il confia aimer voir passer les rares cars de touristes qui s'aventurent dans les steppes arides de l'Est. Il se rendait, parfois, au bourg voisin où se trouvaient une buvette et une pompe à essence. C'était une occasion d'approcher les voyageurs.

Il demanda à sa femme d'apporter « la boîte ». Il pria celle qu'il considérait déjà comme une amie de lui laisser son nom et son adresse. Anicia inscrivit ce qu'il fallait sur une page qu'elle arracha de son agenda.

Au fond de la boîte à biscuits en métal, décorée du portrait d'Atartük, il y avait une demi-douzaine d'adresses notées sur des morceaux de papier et trois cartes de visite.

— Tous des amis, dit l'homme avec une joie naïve.

L'avertisseur du car appelait les passagers. Anicia prit congé des paysans.

— *Ugurlar olsum,* dit l'homme.

— *Allaha ismalladik,* répondit Anicia.

Elle remonta dans le car qui n'attendait plus qu'elle pour repartir.

Mehmet était assis aux côtés d'Irène. Quand Anicia passa dans l'allée centrale, il laissa pendre sa main pour lui toucher la cuisse. Elle s'installa au fond où il y avait toujours des places libres.

Dans la rangée opposée, Mlle Dieulefit avait rejoint Cyrille. Il jeta un regard mélancolique dans la direction d'Anicia. Elle reconnut cette lueur d'amour inquiet qui était apparue pour la première fois dans les ruines d'Hattusa, quand il l'avait tirée des griffes de Mehmet. Il s'était abstenu de tout commentaire, n'avait exigé aucune explication. Elle lui en avait su gré. A plusieurs reprises, elle avait failli céder à l'élan qui la poussait à le supplier de lui faire confiance, de ne pas interpréter comme la rouerie d'une coquette son comportement avec Mehmet. Au dernier moment, elle avait calé devant la mâle autorité de Cyrille. Il n'était pas le type d'homme à s'en laisser conter. Elle savait qu'elle jouait avec le feu et que Cyrille la protègerait contre elle-même si elle avait la faiblesse de lui livrer son secret.

Elle était condamnée à garder le silence au risque de perdre son bel amour.

Si proche du but, pas question de renoncer ! Deux,

trois jours encore, cela dépendait des incidents de la route, elle serait, avec Irène, chez les Kurdes.

C'est à Doğubayazit qu'elles devaient prendre contact avec les rebelles par l'intermédiaire d'un nommé Karakürt qui tenait négoce dans le souk et dont le magasin servait de boîte aux lettres.

A la pensée que l'heure approchait de sa séparation avec Cyrille, le cœur d'Anicia se serra et, d'un mouvement incontrôlé, elle se tourna vers lui. Leurs regards se rencontrèrent. Dans celui de l'être aimé, elle lut un appel pressant.

Elle murmura : « Cyrille... »

Ravalant péniblement les mots tendres qui affleuraient ses lèvres, elle détourna la tête non sans avoir eu le temps de voir la crispation coléreuse de la bouche virile.

Le paysage défilait le long des vitres du car.

On croisa un chariot à roues pleines. Deux femmes voilées étaient juchées sur des balles de coton. Chaque rencontre était saluée par un joyeux coup d'avertisseur de Mustapha qui l'assortissait de commentaires appuyés par Yapuk.

Gagnée par une demi-somnolence, Anicia se replongea dans sa rêverie qui la ramena quelques jours en arrière.

La côte de la mer Noire est déchiquetée et rappelle celle de la Bretagne. Au-delà de Samsun, elle porte le nom de la *Côte de la noisette* qui lui vient des forêts de noisetiers dont la culture a supplanté celle du cerisier.

Le paysage change aux approches de Trabzon et c'est assez inattendu. On trouve des champs de tabac et des oliviers. Les maisons de pierre blanche coiffées de la tuile romaine supplantent les maisons de bois du pays Mossynèque où les pêcheurs emploient encore l'huile extraite de la graisse des dauphins pêchés en mer Noire.

Après les brumes de la côte de sable noir qui ont donné naissance à de belles légendes lugubres et fantastiques, un soleil et une gaieté tout méditerranéens réjouissent le cœur.

— Thalassa ! Thalassa ! s'écria Mlle Dieulefit reproduisant l'antique cri des Dix Mille, les valeureux Grecs de Xénophon retrouvant la mer après une longue retraite à travers des terres arides.

« Pour elle, 400 avant Jésus-Christ, c'est arrivé hier ! » pensa Anicia avec une tendresse amusée en s'écriant, à son tour : Thalassa ! Thalassa !

Un petit souffle de gaieté passa sur le groupe. On pique-niquerait au bord de la mer et les plus hardis, les sportifs, se baigneraient — la mer Noire est assez froide, comparée à la mer de Marmara.

On ne soupçonnait pas Rosette capable de pareille audace. Elle s'élança d'un rocher et disparut dans un gouffre tourbillonnant.

Comme elle tardait à reparaître, un frisson d'appréhension parcourut les témoins de la scène. Enfin, la tête de la jeune femme qui semblait encore plus petite avec les cheveux plaqués, réapparut pour être de nouveau recouverte par l'eau verdâtre quelques secondes plus tard.

Horrifiée, Anicia comprit que l'infortunée tentait de se noyer sous leurs yeux.

— Il faut une corde ! s'écria Mehmet.

Il courait de droite et de gauche, bousculant les spectateurs impuissants.

Anicia cherchait une faille dans les rochers pour accéder à la mer, quand Cyrille s'écria d'un ton sans réplique.

— J'y vais.

Il plongea au risque de se fracasser sur un rocher immergé et disparut dans une gerbe d'écume. La gorge serrée, Anicia surveilla les flots agités. Ce n'est qu'après trois tentatives qu'il put ramener le corps de la noyée. Il hissa Rosette sur un rocher où Anicia la retint, tandis qu'il cherchait une issue dans le mur de rochers.

Dangereusement arc-boutée, Anicia voyait arriver le moment où Rosette glisserait entre ses mains pour retomber à la mer. C'est alors que Mehmet, s'étant déchaussé, se décida à intervenir. Il tira Rosette doucement le long de la paroi rocheuse.

Anicia pratiqua sur elle la respiration artificielle et le bouche à bouche, relayée par Cyrille. A leur grande joie, leurs efforts furent récompensés. Rosette reprit connaissance.

Ses yeux, limpides comme les yeux de verre que l'on trouve chez les poupées, se tournèrent vers Anicia ; elle sourit faiblement et cacha son visage dans le sein de la jeune fille.

Bertrand Dubois-Lagrume était allé avec le car faire les achats pour le pique-nique à Trabzon. A son retour, apprenant de la bouche de Cyrille que son épouse avait failli accidentellement se noyer, il s'écria :

— Elle n'en fait jamais d'autre ! Quand on est assez bête pour ne pas savoir nager, on se contente de sa baignoire.

Mehmet se tint coi. Il ne savait pas nager. Anicia le savait par Irène. Il n'avait pas brillé lors de l'incident. La réflexion de Bertrand Dubois-Lagrume blessa cruellement son orgueil en présence des deux jeunes filles.

A Trabzon, après le dîner, Rosette vint trouver Anicia qui consultait une carte de la région, assise à un guéridon du salon de l'hôtel.

— Je ne vous dérange pas ? demanda la jeune femme avec son air perpétuellement effarouché.

— Pas le moins du monde, asseyez-vous. Comment ça va ?

Le regard de Rosette disait assez son embarras.

— Bien... (Elle eut un petit rire timide.) Un peu fatiguée.

— Une nuit de repos vous remettra d'aplomb et demain vous serez en pleine forme.

— Oh! En forme... fit Rosette avec accablement.

— Vous n'êtes pas en bonne santé?

— Si, physiquement, ça va, dit Rosette. Mais Bertrand dit que c'est là-dedans — elle éleva sa main maigre à la peau translucide à hauteur de la tête.

— Il dit ça pour vous taquiner; il n'est pas sérieux. Rosette secoua la tête.

— Vous avez dû me trouver ridicule, ce matin.

— Quelqu'un de désespéré n'est jamais ridicule.

— Ne croyez pas que je tente de me faire plaindre, mais je n'ai personne à qui me confier... Et j'ai confiance en vous, vous êtes si forte et si bonne.

— Vous ne pouvez pas vous confier à votre mari?

— Il est gentil, fit vivement la jeune femme, mais il est si nerveux : il a tellement de responsabilités et il est tellement plus intelligent que moi, si vous saviez. Ça me paralyse. Si j'avais un enfant, il ferait peut-être davantage attention à moi... J'ai perdu un premier enfant, c'était un prématuré... Bertrand a été très gentil... Mais, il n'en désire pas un autre. Du moins pas tout de suite. Il prétend que ma santé est trop fragile. Il me fait prendre la pilule.

Anicia comprenait que Rosette cherchait une planche de salut et qu'elle attendait de celle qui l'avait ramenée à la vie — quelle vie, mon Dieu! — qu'elle lui donnât la clé du bonheur.

— Vous devriez voir un psychanalyste.

— Bertrand ne voudra jamais!

— Parlez-en d'abord à votre médecin... Et puis, voyez plus souvent vos parents... Fréquentez des amis.

Rosette secouait la tête de plus en plus violemment.

— Tenez, fit soudain Anicia, apprenez à nager.

Rosette releva une tête incrédule. Anicia avait fait sa suggestion dans un élan frondeur. Rosette entendit ce témoignage de solidarité féminine contre le mâle oppresseur. Ses yeux brillèrent.

— Il en ferait une tête ! dit-elle avec un sourire encore craintif.

— Quand nous serons de retour à Marseille, je vous emmènerai à la piscine.

— Vous feriez ça pour moi ?

Anicia pensa brusquement que son retour était bien problématique. Quelle serait l'issue de son expédition chez les Kurdes ?

Rosette eut l'intuition de son hésitation.

— Vous ne me laisserez pas ? dit-elle d'une voix tremblante.

— Non, je ne vous laisserai pas. Ayez confiance.

En prononçant ces mots, Anicia avait le sentiment de répondre à ses propres doutes.

Bertrand Dubois-Lagrume vint poser une main sur l'épaule de sa femme.

— Alors, on papote ? fit-il avec un sourire condescendant.

— Oui je donnais une recette à Rosette, dit Anicia.

Rosette pouffa de rire. Il lui jeta un regard surpris.

— J'espère que tu n'oublieras pas cette recette ?

— Sûrement pas ! fit Rosette espiègle.

Anicia les regarda s'éloigner. Rosette, épanouie, lui fit un petit signe de la main. Cyrille les croisa en chemin.

— Elle a l'air remontée, dit-il à Anicia. Comment va son moral ?

— Bien, je pense. Espérons que son mari ne va pas tout démolir.

— Il m'a confié qu'elle n'en était pas à sa première tentative de suicide.

— Il en est le premier responsable. Il l'a vidée de toute sa personnalité. C'est un monstre d'égoïsme.

— Et un fieffé imbécile. Et en voici un autre.

Mehmet s'avança, prenant une chaise au passage. Plein d'assurance, il demanda :

— Vous permettez ?

— Non, répondit Cyrille. Vous nous dérangez.

Mehmet devint cramoisi. Il lança un regard meurtrier à Cyrille, puis il plaqua violemment la chaise sur le sol et tourna les talons.

— Je ne vous permets pas, fit Anicia à voix basse.

— Laissez-moi le droit de choisir mes relations.

— Entendu et tenez-vous-en là sans vous mêler de choisir les miennes.

— Ainsi que vous me l'avez déjà si élégamment conseillé, je me mêlerai de mes affaires. Mais je ne conseille pas à votre Turc de s'aviser à se mêler des miennes.

— D'abord, ce n'est pas « mon Turc », rétorqua-t-elle et il ne se mêle pas de « vos affaires ».

— Lorsque je me trouve en votre délicieuse compagnie, je considère que c'est mon affaire.

— Pour vous, je ne serais donc qu'une affaire ?

— Jusqu'à présent, vous avez été surtout un problème, fit Cyrille en riant.

Elle se leva, furieuse :

— Bonsoir.

— Faites de jolis rêves, fit-il, riant toujours.

— C'est mon affaire.

Le ralentissement du car et un brouhaha ramenèrent Anicia au moment présent.

Un bruit courait parmi les passagers.

— Un contrôle de police.

Irène se dressa brusquement et tourna un visage effrayé vers Anicia qui, d'un geste impératif, lui enjoignit de se rasseoir.

Le car avait stoppé.

— Les Russes ont débarqué ? plaisanta Mustapha à l'adresse d'un jeune officier de l'armée plein de morgue.

L'officier monta dans le car et jeta un coup d'œil sur les passagers. Anicia tenta de modérer les battements fous de son cœur et essuya la moiteur soudaine de ses paumes.

Mehmet répondit aux questions de l'officier puis il sortit une clé de sa poche et ouvrit un compartiment sous le tableau de bord. Il en sortit deux mitraillettes. L'officier les examina. Mehmet les remit en place et suivit l'officier qui voulait contrôler les bagages.

— Yapuk, viens vider les coffres, ordonna Mehmet.

Anicia frémit. Elle savait que les militaires quadrillaient le pays, recherchant les armes destinées aux rebelles. Mais le trafic de médicaments et de tout ce qui pouvait être de quelque utilité aux Kurdes était tout aussi répréhensible ; l'importation de disques et de livres kurdes était sévèrement prohibée. Non seulement on voulait tuer leur corps, mais aussi, on voulait déraciner leur âme !

Yapuk sortit une partie des bagages avec une mauvaise volonté évidente et avec un air de se ficher du monde qui agaça le jeune officier déjà regardé avec curiosité par les passagers. Ressentant à l'évidence combien ce genre d'inquisition pouvait apparaître exagérée à de paisibles touristes, il salua et regagna d'un pas martial sa Jeep garée au bord de la route, auprès d'un camion bourré de soldats.

Yapuk remit les bagages en place en sifflotant. Mehmet donna l'ordre de repartir et vint s'asseoir auprès d'Anicia. Irène se déplaça pour entendre ses explications.

— Les contrôles militaires sont fréquents dans cette région où règne l'insécurité.

— C'est pour ça que vous avez des armes ?

— Je ne m'en suis jamais servi. Mais soyez certaines, mesdemoiselles que si vos belles vies étaient menacées, je n'hésiterais pas à en faire usage, dit-il d'un air terrible.

— Avec vous, je me sens en sécurité, fit Irène conquise.

Visiblement, il eût préféré que le compliment vînt d'Anicia.

— Vous savez que je me ferais hacher sur place pour vous, fit-il caressant, en regardant alternativement les deux jeunes filles. Tant que vous me ferez confiance, vous n'aurez rien à redouter.

Le car poursuivit sa route. Mehmet changea de place. Irène vint s'asseoir auprès d'Anicia.

— Tu vois que l'on peut lui faire confiance, fit-elle.

Anicia sourit vaguement ayant renoncé depuis longtemps à discuter à propos de Mehmet.

La radio de bord diffusait des informations dans l'indifférence générale. L'étape n'était plus guère éloignée et la lassitude s'était emparée des voyageurs. Les conversations languissaient. Chacun pensait à la possibilité de satisfaire un désir : pour l'un, c'était une douche, pour un autre, un raki allongé d'eau glacée. Bertrand Dubois-Lagrume souffrait d'ampoules aux pieds. Il se promettait d'en faire le reproche au *Chat botté* où il avait acheté ses chaussures en solde : « J'ai pourtant dit à la vendeuse qu'elles me serraient ! » ressassait-il avec rancune.

Une exclamation de Mustapha secoua les passagers

— Des touristes sur des chameaux !

Il est révolu le temps où les caravanes venues d'Iran remontaient vers Trabzon. Le camion remplace avantageusement le chameau qui ne demeure plus guère utilisé que par les nomades.

Le car s'arrêta, Raymond Courtois ayant exprimé le désir de faire une photo de la rencontre symbolique des deux moyens de transport. D'autant plus que les bêtes transportaient des originaux.

— Encore des hippies ! fit Bertrand Dubois-Lagrume.

Ce ne fit qu'un seul cri de stupeur quand on reconnut l'un de ces fantaisistes : « Olympe ! »

— C'est moi, fit Mme de La Bussière du haut de sa monture. Faites-moi descendre, j'ai le derrière en compote.

— Ne bougez pas ! recommanda Raymond Courtois, je vous prends en photo.

La vieille dame, une fois à terre, présenta son compagnon :

— Signor Arturo Toscanini.

— Dosganini, rectifia le violoniste.

— Ne pas confondre avec l'autre, le chef d'orchestre ; d'ailleurs, il est mort.

— Quelle surprise ! s'exclama Mlle Dieulefit.

— Nous sommes tous mortels.

— Cette rencontre est tellement... tellement inattendue.

— Vous n'avez pas eu ma lettre ? s'étonna Mme de La Bussière.

— Si, bien sûr...

— Alors, vous deviez vous attendre à ce que je vous rejoigne en cours de route ?

— Certes, mais pas dans cet équipage !

— Moi, non plus ; figurez-vous que nous avions fait du stop...

— Du stop ! s'écria Dubois-Lagrume en ricanant.

— C'est très imprudent, dit Mehmet.

— On ne le dira jamais assez, approuva Mme de La Bussière. Le coquin a profité d'une halte-pipi pour s'enfuir avec nos bagages.

Des cris désolés accueillirent la nouvelle.

— Comment avez-vous pu vous faire comprendre du chamelier ?

— Je lui ai fait un dessin.

— Elle a un bon coup de crayon, dit Arturo.

— Autre chose que Picasso ! renchérit l'intéressée.

Les passagers allaient de surprise en surprise.

Le chamelier avait refusé un traveller-chèque, préférant leurs montres-bracelets et le briquet plaqué or d'Arturo. Avant de repartir, il accepta un verre de thé chaud conservé dans une thermos.

— Demandez-lui son adresse, je lui enverrai une carte postale de Marseille, dit Mme de La Bussière.

Mehmet émit des doutes sur l'intérêt du geste, à défaut de générosité.

— J'ai mieux que ça, proposa Raymond Courtois, je vais lui tirer son portrait avec mon Polaroïd.

Le chamelier posa avec cet inégalable naturel de ceux qui font fi de leur image de marque. Il jeta à peine un coup d'œil sur son portrait qu'il glissa dans la poche de sa veste fripée.

— Vous devez avoir des tas de choses à me raconter, fit Mme de La Bussière avec une mine gourmande en s'asseyant dans le car auprès de Mlle Dieulefit.

Une heure plus tard, dans la lumière ocrée de la fin de journée, apparut le double minaret de la mosquée d'Erzurum. Le car s'engagea dans la grand-rue de ce qui avait été, jadis, Theosiopolis. On passa devant des bâtiments militaires, puis on traversa une place où se dressait une grande statue d'Atartûk et le car s'arrêta devant l'hôtel.

Anicia, étrangement émue, se sentait loin des rivages souriants du Bosphore.

— Erzurum est une ville passionnante, dit Mehmet avec un ricanement, sachez qu'elle possède un quartier général militaire.

10

— **N**ous ne pouvons pas aller à Ani, annonça Mehmet au groupe réuni au *Temel Palas,* l'hôtel de Kars où l'on avait passé la nuit. Je viens d'avoir la confirmation par téléphone auprès des services de la sécurité. La vallée de l'Alpa çay est interdite.

A Erzurum, deux jours auparavant, Anicia et Irène avaient accompagné Mme de La Bussière qui désirait acheter quelques vêtements indispensables pour pallier le vol de ses bagages.

Elles avaient aperçu Mehmet dans une Jeep, assis avec un officier. L'accompagnateur avait marqué un certain embarras et les jeunes filles avaient aussitôt détourné la tête ; leurs projets ne les incitaient pas à frayer avec les militaires.

Il les avait retrouvées à la sortie d'un magasin.

— Je me renseignais sur les possibilités d'aller à Ani.

Il s'efforçait de sourire pour dissimuler sa contrariété.

Ani était la dernière ville à l'est accessible aux touristes visitant la Turquie. La proximité de la frontière soviétique en rend la visite aléatoire. Les Turcs et les Russes se vouent une animosité séculaire qui alimente la suspicion naturelle aux deux Etats. On ne doit pas oublier que la Russie est, avec la Grèce, l'un des ennemis héréditaires de la Turquie et que Kars n'a été libérée de l'occupation russe qu'en 1920.

La déconvenue se lut sur les visages.

— C'est une inqualifiable entrave à la libre circulation des touristes, protesta Bertrand Dubois-Lagrume au nom des mécontents.

— Comprenez que c'est pour votre bien, dit Mehmet.

— On veut sans doute m'empêcher d'aller goûter aux délices du paradis socialiste ? fit le commerçant.

La répartie fut du goût de Mehmet et déclencha son hilarité.

— Ani était une cité florissante avant l'arrivée des Mongols, prononça Mlle Dieulefit avec ce ton désolé qui était le sien pour dénoncer la folie des hommes.

— Ça fait trois semaines que je n'ai pas mis le nez dans un journal, avoua Mme de La Bussière. La situation est si grave que vous le dites ?

— Rassurez-vous, madame, cela s'est passé au XIVe siècle, dit Mehmet.

— En ce cas, puisque les Mongols ne sont plus là, je ne comprends pas qu'on barre la route ! répliqua sévèrement Mme de La Bussière.

— La région échappe au contrôle des forces de l'ordre. Des trafiquants font le commerce des armes destinées aux rebelles tout au long des frontières. Les montagnes sont peu sûres. Elles abritent des grottes où jadis vivaient des anachorètes et elles constituent des cachettes sûres pour les hors-la-loi.

— Comme dans les westerns ! Bien parlé, shérif, fit Bertrand Dubois-Lagrume.

Des enfants, armés de seaux et balais, avaient lavé le car. Mehmet leur lança des pièces de monnaie qu'ils se disputèrent avec âpreté.

— Journal... Gazette..., piaillaient-ils.

— Quelle ardeur de s'instruire, s'écria Mlle Dieulefit.

— Ils veulent du papier pour se rouler des cigarettes, dit Mehmet.

Le car démarra, suivi des enfants qui firent la course dans la fumée des gaz d'échappement.

— Nous allons voir les monts Ararat, le grand et le petit, annonça Mehmet dans son micro. Le versant oriental marque la frontière entre l'Iran et la Turquie. Certains prétendent que l'Arche de Noé aurait touché terre à cet endroit, mais les recherches pour en trouver la preuve sont demeurées vaines. Une autre légende veut que Jacob, venu en pèlerinage au mont Ararat, a fait jaillir une source pour se désaltérer.

Anicia détourna son attention. Les paroles de Mehmet et les questions du groupe finirent par créer un brouhaha qui se mêla au ronronnement du car. Elle laissa ses pensées vagabonder, voulant éviter de fixer son esprit sur ce qui l'attendait à Doğubayazit.

Après Erzurum, ils avaient fait un détour pour admirer une cheminée de fée, bizarrerie de la nature qui donne du paysage une vision lunaire. De détours en détours, ils avaient fini par échouer dans un village en fête.

Un centenaire tournait la manivelle d'un antique orgue de barbarie. Un montreur d'ours tapait sur un tambourin et la bête se dandinait pour la plus grande joie des enfants. Les chaises du café, auxquelles étaient venues s'ajouter celles des villageois, tenaient le pourtour d'une petite place de terre battue. Elles étaient occupées par les hommes ; les femmes étaient attroupées à l'écart.

Le car fit sensation. On apporta de l'ayran et de succulents yaourts, ainsi que des œufs, du miel, du riz et du pain.

L'*iman,* le maire, présenta un homme qui passait

pour parler le français. L'homme ôta sa casquette et, avec la timidité qu'avait, jadis, l'écolier qui récitait un compliment, baragouina une tirade obscure.

Les Français échangèrent des regards indécis. L'*iman* et ses administrés, ravis, attendaient que fut saluée la valeur de leur champion. Anicia comprit la gravité de leur déception et le discrédit du malheureux, si l'on découvrait son incompétence. Elle donna le signal des applaudissements.

— Répondez-lui, suggéra Mehmet.

— Que voulez-vous que je dise, je n'ai rien compris.

— Laissez la barque de votre imagination voguer au courant de votre cœur, murmura Mehmet câlin.

Anicia connaissait le penchant des Turcs pour la louange dithyrambique et le langage fleuri ; aussi se lança-t-elle hardiment dans l'improvisation.

— Mes amis et moi-même sommes très honorés de l'accueil chaleureux que vous nous avez réservé. Nous y voyons l'expression de la haute hospitalité de votre beau pays. Nous emporterons un souvenir impérissable de vos délicieux yaourts qui sont nettement meilleurs que ceux que l'on trouve à Marseille...

— Demandez-leur la recette, souffla Mme de La Bussière.

— Nous conserverons dans notre cœur l'image de votre splendide cité, de son haut bienfaiteur, monsieur le maire, et ses très honorables habitants. Vive la Turquie ! Vive Atartük ! Vive la France !

— Bravo ! cria l'interprète en applaudissant à tout rompre.

— Bravo, reprirent l'*iman* et le chœur des villageois.

L'interprète dut satisfaire la curiosité de ses concitoyens en leur traduisant le discours de la voyageuse.

— Vous avez prononcé une allocution remarquable, dit Mehmet ému. Vous avez trouvé les mots émouvants et simples qu'il fallait pour toucher ces braves gens. Je me prosterne aux pieds de votre exquise délicatesse.

— Cet homme ne parle pas un mot de français, mais est-ce qu'il le comprend ?

— Ce détail est sans importance.

— Comment fait-il pour traduire ce que j'ai dit ? insista Anicia, tout de même assez ahurie.

— Il vous a entendu avec son cœur, fit Mehmet en se frappant la poitrine, c'est un langage universel.

Des vivats saluèrent la fin du très long discours de l'interprète qui, pleurant de joie et d'émotion, vint baiser la main d'Anicia.

— Anicia…

Elle sursauta et fut presque étonnée, en ouvrant les yeux, de se retrouver dans le car qui roulait sur une route taillée à flanc de montagne.

Cyrille lui montra des ruines sur un piton.

— Un château kurde.

La route dévalait une forte pente. Mustapha chantait et conduisait avec maestria, flatté par les commentaires de Yapuk qui saluait comme un exploit le passage de chaque virage.

— *Insallah !* disait Mustapha.

— Quel as ! fit en riant Mme de La Bussière et prenant à témoin Mlle Dieulefit qui s'accrochait à son siège : A la foire à Neu-Neu, je montais toujours dans le premier wagon du scenic-railway.

Mais, nonobstant les *masallah,* les *Insallah* et le *nazarlik* tutélaire, le car emboutit un rocher tombé de la montagne. Fort heureusement : « Crâce à Allah ! » Mustapha donna un coup de volant qui renvoya le car contre la paroi montagneuse.

Mehmet brandit le point en hurlant. Mustapha se prit la tête entre les mains et poussa des cris déchirants. Tout en pleurant, Yapuk donna des coups de poings dans le pare-brise.

Devant les ailes froissées, les deux cousins piétinèrent sauvagement leurs casquettes, tandis que Mehmet donnait des coups de pied dans les roues.

— Je les aurais cru plus fatalistes que ça, dit Mme de La Bussière.

Mustapha et Yapuk se recoiffèrent de leurs casquettes et se mirent à l'ouvrage.

— Vous ne vérifiez pas le train avant ? demanda Cyrille.

Anicia traduisit la question.

— Il est solide, il est allemand ! fit Mustapha en donnant des tapes amicales au Mercedes.

— Le chauffeur a intérêt à rouler doucement et à faire examiner le car dans un garage, dit Cyrille.

— Vous vous croyez à Marseille ? fit Anicia avec un petit rire.

Rire qui se figea soudain.

— Cyrille, dit-elle en lui touchant le bras.

Des hommes haillonneux à demi dissimulés derrière des rochers les tenaient sous la menace de fusils.

— Nous sommes tombés dans un guet-apens, dit-il.

Les voyageurs poussèrent des cris d'effroi et s'agitèrent, pris de panique.

— Ne vous affolez pas ! cria Cyrille.

L'un des brigands agita son fusil en proférant des menaces. Il interpella Mehmet qui transmit ses exigences.

— Ils veulent l'argent et les bijoux avec les montres... Il ajouta avec un regard oblique : Et les femmes.

— Jamais ! s'écria Mme de La Bussière.

Vêtue d'un pantalon bouffant vert pomme et d'un boléro jaune, achetés dans un magasin de mode à Erzurum, elle produisait un effet saisissant.

— Ne le mettez pas en colère, sinon il va être très méchant ! fit Mehmet affolé.

— Espèce de macaque ! lança-t-elle au chef des brigands, un hercule, nu sous sa veste déchirée, un torchon enroulé autour de la tête et le visage couvert d'une barbe noire où étincelaient des yeux cruels. Pour qui vous prenez-vous ? Vous feriez mieux de travailler au lieu d'embêter le monde.

— Madame ! supplia Mehmet.

— Non, mais, vous ne vous êtes pas regardé ? Je ne voudrais pas de votre barbe comme balayette à W.-C. ! Elle s'adressa à Mehmet : Dites à ce fainéant que s'il touche à un seul cheveu des dames, je lui flanquerai une paire de gifles !

Mehmet, effondré, s'écria :

— Je ne peux pas, madame, ces gens sont très susceptibles.

— Vous les défendez ?

— Ce sont de terribles brigands.

— J'en ai vu d'autres, des brigands, moi, jeune homme : j'étais dans la Résistance !

Le brigand, perdant patience, tira un coup de fusil qui brisa une vitre du car.

— Salopard ! cria Mme de La Bussière.

Arturo leva son mouchoir blanc et s'approcha de la protestataire.

— Venez, Olympe, on ne peut pas discuter avec cette sorte de gens.

Mehmet pria les voyageurs de déposer leurs biens à leurs pieds. Les brigands descendirent des rochers. Ils étaient misérablement vêtus. L'un d'eux exigea que Bertrand Dubois-Lagrume lui remit ses chaussures. Cyrille feignant de parler à Mme de La Bussière, dit à l'intention de Mehmet :

— Mehmet, donnez la clé du logement des mitraillettes à Olympe qui va faire semblant d'avoir un malaise...

Mme de La Bussière fit un énorme clin d'œil. Elle se plaça et, prenant une pose à la Sarah Bernhardt, poussa un grand cri en se laissant aller en arrière, les bras en croix. Mehmet la rattrapa de justesse avant qu'elle ne touche le sol.

— C'était bien ? demanda-t-elle.

Mehmet parla au chef des brigands qui, mécontent, brandit son fusil.

— Il veut bien qu'on porte la vieille dame dans le car, dit-il à Cyrille ?

— Vous avez la clé ? demanda Cyrille.

— Oui, jeune homme.

Tandis que les brigands ramassaient leur butin, Cyrille porta Mme de La Bussière. Personne ne leur prêtait attention. Cyrille s'empara des mitraillettes et installa la vieille dame auprès d'une fenêtre du côté des brigands.

— Ecoutez-moi tous, dit-il s'adressant aux Français, quand je crierai : « Couché ! » les femmes se laisseront tomber et les hommes se jetteront sur les brigands. Mehmet, attention. Je vais vous envoyer une mitraillette. Attention, tous... Couché !

Il lâcha une rafale en l'air. Le chef des brigands plongea derrière les rochers.

La manœuvre prescrite se déroula dans la confusion totale. Mlle Dieulefit courut protéger Raymond Courtois qui avait emmêlé les courroies de ses appareils dans le fusil d'un brigand ; Anicia s'était jetée sur un brigand qui avait tiré son poignard contre le jeune Ludovic Lancelot qu'on avait mis avec les femmes.

Mehmet réussit à toucher le chef des brigands.

— Je l'ai eu ! exulta-t-il avec un rire féroce.

Cyrille vint le rejoindre. Il tint les brigands sous la

menace de son arme, tandis que Mehmet leur ordonnait de jeter leurs fusils.

— Surveillez-les, dit-il, je vais prévenir l'armée.

Il monta dans le car. Une antenne sortit du toit. Intriguée, Anicia se rapprocha et vit Mehmet manipuler avec adresse un poste émetteur jusqu'alors dissimulé sous le tableau de bord.

Il se mit en rapport avec le quartier général de la police de la région. En termes trahissant une longue pratique, il réclama l'envoi de troupe. Il s'emporta en apprenant qu'il n'y avait pas de soldats disponibles avant le lendemain. Tout en jurant, il remit le matériel en place.

Un pli soucieux creusait son front quand il revint auprès du groupe apeuré.

— Les soldats sont en patrouille, dit-il, nous ne pouvons pas obtenir de secours. Ça ne fait rien, nous allons emmener ces ordures à Erzurum.

— Non, mais, ça ne va pas, protesta Bertrand Dubois-Lagrume, qui avait récupéré ses chaussures, ça fait 500 kilomètres aller-retour.

Mehmet se tourna d'un bloc et hurla :

— Vous, monsieur, taisez-vous !

Bertrand Dubois-Lagrume se rapetissa.

— Ce n'est pas prévu dans le programme, balbutia-t-il.

— Les brigands non plus.

— Ces hommes sont désarmés, ils ont un blessé, intervint Cyrille. Il s'adressa à Anicia qui revenait vers eux, après avoir examiné le brigand. Comment va-t-il ?

— Une balle lui a fait une éraflure à la poitrine, et une autre lui a traversé le bras. Je vais le panser.

— Vous allez soigner cette ordure ? cria Mehmet.

Sans répondre, elle se dirigea vers le car pour y prendre la boîte à pharmacie.

— Laissez-le crever! cria-t-il en la retenant par le bras.

— Monsieur Kurlu! fit la voix menaçante de Cyrille.

Mehmet se retourna avec l'agilité d'un fauve.

— Monsieur Kurlu, voulez-vous une tasse de thé? demanda gracieusement Mme de La Bussière, demeurée dans le car.

Mehmet fronça les sourcils. Il avala sa salive et dit :
— Non... merci, madame.

— Nous n'avons pas à nous substituer à la police, dit Cyrille. L'incident est clos. Je pense que tout le monde a envie de repartir.

Des murmures approbateurs se firent entendre dans le groupe.

— Venez Mehmet, ajouta Cyrille, nous allons donner un coup de main au chauffeur pour pousser le rocher.

— Ce sont ces ordures qui vont le faire, dit Mehmet rageur.

— C'est une bonne idée.

Pendant ce temps, Anicia posa deux pansements de Tulgaz au blessé.

— Je t'ai donné les premiers soins, mais il va falloir voir un médecin.

L'homme cracha sur le sol.

— Il me dénoncera.

— Je vais te laisser le liquide de Daquin, le mercurochrome et des pansements. Tu as vu comment j'ai fait?

Une lueur étrange s'alluma au fond du regard sauvage de l'homme.

— Qui es-tu? demanda-t-il.

— Mon père est Halit Erksan le Kurde, dit-elle fièrement.

— Qu'Allah te protège, dit l'homme en lui baisant la main.

Les réparations de fortune effectuées, les fusils des brigands jetés au fond du car, on était prêt à reprendre la route, quand, soudain une voix s'éleva :

— Est-ce que je pourrais prendre une photo ?

Mehmet fit placer les brigands en rang et se planta fièrement sur le côté, en les menaçant de sa mitraillette.

— A vous, M. Beaufort, fit Raymond Courtois.

Cyrille déclina sèchement l'offre. Dès qu'il en eut l'occasion, il dit à Raymond Courtois :

— Avez-vous songé que si la police met la main sur cette photo, c'est un arrêt de mort pour ces hommes ?

— Nul ne peut disposer de mes photos sans mon consentement.

— La police a les moyens de vous y contraindre.

— Je voudrais bien voir ça ! s'écria Raymond Courtois indigné.

Avec la complicité d'Anicia, Cyrille subtilisa l'appareil du photographe. Il ouvrit la boîte, déroula le film à la lumière du jour, le rembobina et le remit en place.

— Le film sera entièrement voilé, dit-il.

Il lut une chaleureuse gratitude dans le regard de la jeune fille.

11

Le car était arrivé sur trois roues à Doğubayazit ; ainsi
que l'avait redouté Cyrille, l'essieu avant était faussé. A
défaut de garage, on avait trouvé l'un de ces ingénieux
bricoleurs locaux que rien n'effraie et dont il faut
mesurer l'initiative. Avec l'aide de Mustapha et de
Yapuk, l'homme se faisait fort de remettre le véhicule
en état sous vingt-quatre heures.

On passerait donc deux nuits à Doğubayazit. Anicia
pensa aussitôt mettre à profit cette occasion inespérée
pour rejoindre les Kurdes.

L'hôtel, un ensemble de bâtiments disposés autour
d'un restaurant, était à six kilomètres de la ville. Point
de passage important, il s'y livrait un trafic de marchandises passées en fraude par les routiers venant d'Iran.

A plusieurs reprises, depuis Erzurum et l'approche
des montagnes de la frontière, Mehmet avait questionné
les jeunes filles sur le moyen qu'elles entendaient
employer pour livrer leurs fournitures médicales. Adroi-
tement, Anicia avait su le faire patienter en prétendant
que l'opération s'effectuerait au cœur du Kurdistan, à
Dyarbakir que l'on ne devait pas atteindre avant plusieurs jours.

Elles se demandaient comment aller en ville quand,

au restaurant, le hasard les fit rencontrer un couple de touristes désireux de visiter le souk. Lorsque Anicia se proposa comme interprète, ils acceptèrent avec empressement et tous partirent en voiture.

Le souk était rempli de flâneurs parmi lesquels on reconnaissait quelques étrangers qui marchandaient devant les échoppes.

Anicia et Irène savaient que Karakürt vendait des chaussettes brodées ; son magasin ne fut pas difficile à trouver.

Au-dessus de la vitrine poussiéreuse où trônait un portrait d'Atartük, on pouvait lire l'inscription : *Allahim dedig olur.*

— Ce que Dieu a dit arrivera, traduisit Anicia.

Les deux jeunes filles échangèrent un faible sourire et entrèrent dans le magasin.

Karakürt était un homme plat comme une planche. Des lunettes à monture métallique rafistolées avec du fil de fer chevauchaient son nez osseux. Ses yeux durs pétillèrent, tel du silex, quand Anicia donna le mot de passe :

— Je viens chercher les chaussettes de Bibalchar.

Karakürt répondit :

— Bibalchar est un tigre, sans soupçonner combien cette affirmation pouvait apparaître comique à sa jeune interlocutrice.

Anicia eut envie de répondre : « Un tigre fantôme ! » mais elle évita de faire de l'humour.

— Vous boirez bien un café ? proposa Karakürt.

Il fit un signe à un adolescent assis dans un coin de s'occuper de la clientèle, souleva une tenture et fit entrer les visiteuses dans une petite pièce étouffante bourrée de ballots de laines et de paquets de chaussettes.

Il ouvrit une porte et demanda que l'on apporte du café.

— Quelle est votre pointure ? demanda-t-il à Anicia.

— 38.

— A tout hasard, j'en ai fait tricoter plusieurs paires, du 36 au 40. Voici les vôtres. Sur le devant, il y a le symbole du tigre. C'est votre signe de ralliement. Vous le trouverez sur les chaussettes du messager qui vous conduira à ceux que vous désirez rencontrer.

Anicia paraissait peu convaincue par l'efficacité du système. Il ajouta :

— Les chaussettes brodées ont une fonction importante dans notre vie. Leurs motifs constituent un code visuel compris de tous. Tenez, voici le motif *pacha* destiné à un *iman*. Voyez ces chaussettes avec des fils d'or et d'argent mêlés à la laine, elles sont pour des jeunes mariés. Une femme mariée choisira un motif différent de celui d'une veuve et si celle-ci envisage de se remarier, elle fera connaître son désir en choisissant un modèle approprié.

— Tenez, celles-ci me plaisent bien, dit Anicia.

— Elles sont portées contre le mauvais œil.

— Je les prends.

— Permettez-moi de vous les offrir. Et vous, mademoiselle, demanda Karakürt, en invitant du geste Irène à choisir, lesquelles voulez-vous ?

Irène désigna des chaussettes rose et blanc avec des dessins bleu ciel. Karakürt prononça quelques mots qu'Anicia traduisit avec un plaisir non dissimulé :

— Tendre amoureuse.

Irène se troubla légèrement. A n'en pas douter, elle n'eût pas fait ce choix, si elle en avait connu la signification.

Une femme apporta le café sur un plateau de cuivre puis se retira silencieusement. Ils burent à petites gorgées le breuvage âcre et épais, servi dans de petites tasses.

Karakürt fit un paquet des chaussettes dans un vieux morceau de papier.

— Quand verrai-je le messager? demanda Anicia.

— Il saura bien vous trouver, assura Karakürt avec optimisme.

— C'est urgent.

— Tout vient en son temps : le fruit ne vient pas avant la fleur.

— Arrangez-vous pour que je le voie demain, insista Anicia qui commençait à douter sérieusement de l'efficacité du marchand de chaussettes. Nous sommes immobilisés pour deux jours par une panne de notre car, c'est le moment ou jamais d'en profiter.

— Je le dirai à Basnik. Il va peut-être passer ce soir.

« Mon Dieu! pensa Anicia. Basnik après Bibalchar! »

— Demain, nous visiterons *Isha Pasa Sarayi*. Il faut absolument qu'il s'y trouve.

— *Insallah!*

Dans la boutique, elles retrouvèrent les touristes qui les avaient transportées dans leur voiture. Ils achetaient des masses de chaussettes sans soupçonner leur signification.

L'épouse montra la paire qu'elle se réservait : veuve désirant se remarier.

Alors qu'elles regagnaient leur chambre, Anicia et Irène furent surprises par Mehmet qui jaillit de l'ombre.

— Vous vous promenez la nuit, sans escorte? fit-il d'une voix enveloppante dans laquelle perçait une menace.

— Nous sommes allées au souk, fit Irène précipitamment.

— Il fallait m'aviser, je me serais fait un grand honneur de vous offrir mon aile protectrice.

— Nous n'étions pas seules, fit Anicia.

Mehmet réfléchit.

— Vous ne pouviez pas être avec Beaufort effendi, dit-il, il n'a pas quitté le restaurant et je viens de le voir entrer dans sa chambre.

— Nous étions avec des touristes. Bonsoir, fit Anicia pénétrant dans la chambre.

Elle appela Irène, soucieuse de ne pas la laisser seule avec Mehmet qui avait le pouvoir de la faire parler.

— Bonne nuit, mesdemoiselles.

Irène le regarda s'éloigner et referma doucement la porte.

Anicia enfila ses chaussettes.

— Mais... qu'est-ce que tu fais ? s'écria Irène. Tu les as mélangées !

— C'est exprès : une Tigre et une contre le mauvais œil.

— Avec ça, tu es parée ! se moqua Irène.

— Oh, toi, tu peux parler avec tes chaussettes de rosière.

— Je les ai choisies uniquement pour les couleurs.

— Il n'empêche qu'elles sont bébêtes !

Irène, exaspérée, lui lança ses chaussettes à la tête ; Anicia répliqua en lançant les siennes. Elles riaient. La bataille dura quelques secondes et s'interrompit soudainement.

— Dis... fit Irène, tu me prêtes une contre le mauvais œil juste pour la nuit ?

Elles se couchèrent côte à côte avec une chaussette-talisman à un pied.

*
* *

Le nom de Doğubayazit évoque les admirables vestiges du palais édifié par le Kurde Isak Pasa sur un éperon rocheux, face au massif de l'Ararat. Dans ce site grandiose la construction atteint à une beauté noble et rude qui coupe le souffle.

Des murailles érodées, encore solides, entourent le palais proprement dit et la mosquée dont le dôme intact est recouvert de tuiles brunies. Le minaret composé de cercles de briques et de pierres alternées, au-dessus de sa base cubique, a défié le temps. On crut pendant longtemps que l'esprit d'un muezzin le hantait, car une plainte lugubre s'en échappait, jusqu'au jour où un archéologue allemand s'aperçut qu'il s'agissait de la plainte du vent dans une anfractuosité du mur.

Du côté opposé à l'abîme que surplombe l'édifice, l'herbe pousse courte et drue, sa couleur verte souligne les ocres et les bruns des belles murailles se détachant sur la montagne qui se pare de bleu assourdi. L'architecture rigoureuse du palais, peinte en camaïeu de bruns baigne dans une belle lumière froide.

A gauche de l'entrée qui se découpe dans la muraille, on peut voir les ruines d'un bâtiment banal.

Assis sur les pierres d'un mur éboulé, se tenait un jeune homme, le nez au vent. Il avait retroussé son pantalon et ôté ses chaussures pour découvrir des chaussettes flambant neuf qui attiraient le regard à cent pas. La longe de son âne était attachée à une pierre.

Anicia reconnut aussitôt les chaussettes du messager. Elle se laissa distancer par le groupe, chaperonné par Mehmet, qui pénétra dans l'enceinte du palais.

Elle posa un pied sur le petit mur et découvrit une chaussette.

— Salut, je vous attendais, dit joyeusement le jeune homme.

— Vous êtes Basnik ?

— Oui, c'est moi, Abdullah Basnik.

Il l'examinait effrontément et dans ses yeux brillait cette petite flamme de convoitise. L'allumette turque!

— Tu as un message?

— Non, dit le jeune homme en la caressant du regard.

Anicia sentit la moutarde lui monter au nez.

— Tu n'as rien à me dire?

— Celui qui prétend que tu es une beauté ne ment pas. Auprès de toi, la divine Artémis, c'est de la roupie de coq!·

— Tais-toi, imbécile! s'écria Anicia, folle de rage. Mais, vous êtes plus débiles les uns que les autres! Non, ce n'est pas vrai? J'en ai assez!

Abdullah éclata de rire et porta une main hardie aux seins de la jeune fille. Mal lui en prit! Anicia possédait quelques notions de self-défense — les rues de Marseille sont peu sûres, la nuit. Atteint d'un coup de pied au bas-ventre, le présomptueux jeune homme poussa un cri de douleur et se plia en deux.

A ce moment, une moto qui se signalait par un boucan infernal, s'arrêta près d'Anicia; un homme sauta à terre, laissant choir sa machine.

Il interpella Anicia:

— Pourquoi avez-vous frappé mon fils?

— Il m'a pelotée, ce petit cochon! s'écria Anicia en l'affrontant avec fureur.

— Il vous a manqué de respect? Attendez un peu, vous allez voir.

Le père Basnik attrapa son fils par la tignasse et le bourra de coups. Abdullah poussa des cris d'orfraie.

« Je rêve! se dit Anicia atterrée. Ils sont complètement zinzins dans ce pays. »

— Ah! C'est toi qui m'a volé mes chaussettes! hurla soudain le père Basnik.

Anicia bondit.

— Basnik !

— Laissez, je vais le tuer ce petit gredin, ça lui apprendra à vivre.

— Basnik, écoutez donc !

— Il va comprendre ce que c'est la discipline… Entends-tu misérable Grec ? La discipline, c'est la force des armées !

— Oui, papa !

— Basnik ! hurla Anicia, proche de la crise de nerfs en tirant de toutes ses forces sur la veste du père fouettard.

Elle sanglotait presque : « O rage ! O désespoir ! Allah ! Jésus ! Bouddah ! Faites que j'échappe à cette histoire de fous ! »

— Regardez mes chaussettes !

Il lâcha son fils, reconnut les chaussettes et rugit :

— Bibalchar est un tigre !

— Merci, Seigneur, gémit Anicia en se laissant tomber sur le muret où elle demeura assise.

— Toi, file à la maison, ordonna le père Basnik à son rejeton qui se frottait les côtes.

Abdullah se hissa péniblement sur son âne qui partit en trottinant.

— C'est donc vous la Vierge qui vient de France ?

« Ça recommence ! » se dit Anicia, horrifiée. Elle ne le laissa pas s'étendre davantage sur le sujet.

— Quel est le message ?

Il tendit le bras vers les ruines.

— C'est là que vous rencontrerez Digor, la nuit prochaine.

« Et voilà, ce n'est pas plus compliqué que ça… » fit au fond d'elle-même une petite Anicia qui lui apparut comme un témoin amusé de la scène burlesque qui venait de se dérouler dans un décor digne d'une tragédie de Shakespeare.

— Cette nuit... répéta-t-elle.

Basnik, très préoccupé par sa moto qui refusait de démarrer, approuva distraitement, comme s'il s'agissait d'une affaire réglée.

— Nous devons porter au moins vingt kilos chacune et n'avons aucun moyen de transport, dit Anicia.

— Qu'est-ce qui vous empêche de marcher ? demanda Basnik avec curiosité.

— Il s'agit de ma camarade, elle a très mal au pied, mentit-elle.

Il réfléchit et finit par dire :

— Je viendrai vous chercher.

— Vous aurez une voiture ?

— Je peux accrocher une remorque à ma moto. Devant l'hésitation de la jeune fille, il la rassura : « Elle est assez solide pour porter mon âne. »

Anicia imagina un instant l'engin pétaradant dans la nuit et mettant l'hôtel sur le pied de guerre.

— Prenez plutôt une voiture, votre moto fait trop de bruit.

Il plissa les yeux, contrarié. Anicia crut qu'il allait l'envoyer sur les roses. Le grison ne fut pas insensible à son sourire charmeur. Il passa un doigt sur sa moustache et son œil s'alluma.

— Je demanderai à Tishimir de venir avec son camion.

« Un dix-tonnes, à présent ! » se dit Anicia.

— Si vous n'avez que ça sous la main, fit-elle avec un sourire anémique.

Déjà, il avait enfourché sa moto dont il titillait la manette des gaz.

— *Insallah !* lança-t-il.

— Vous de même.

La moto démarra dans une cascade d'explosions. Basnik fit du cross sur les nids de poule en laissant un sillage de fumée noire. Anicia s'empressa de rejoindre le groupe dans l'enceinte du palais.

Profitant d'une absence d'Irène, Mehmet vint trouver Anicia qui le reçut sur le seuil de la chambre. Il la poussa à l'intérieur et referma la porte derrière lui.

Le cœur de la jeune fille battit la chamade.

Mehmet était tendu. Ses yeux fureteurs fouillaient la chambre. Il semblait humer l'air, tel un chien de chasse. Enfin, il sourit et ses dents luirent sous la moustache.

Anicia pensa qu'elle devait jouer serré. Le soir était enfin venu d'abandonner le groupe. Dans peu de temps, sitôt les lumières éteintes et l'hôtel endormi, Basnik viendrait les chercher pour les conduire à Digor, le Kurde.

— J'ai hâte d'être à Diyarbakir, dit-elle d'un ton dégagé.

Elle comprit que la vanité l'emportait sur sa méfiance quand il confia partager son impatience.

— Je vous trouve nerveuse, dit-il cependant. Avez-vous une préoccupation que vous hésitez à confier à votre ami dévoué ?

— C'est vrai, je suis énervée. Cela se comprend, vous ne trouvez pas ? Après Diyarbakir, je me sentirai soulagée d'un grand poids et je pourrai profiter librement du voyage.

Il sourit d'un air entendu. Son regard énamouré se voila. Il était troublé par les fragrances féminines traînant dans la chambre en désordre et la proximité de la jeune fille surprise en légère robe de chambre, transparente à contre-jour. Il ne pouvait détacher les yeux du décolleté qui découvrait la naissance de seins ronds et fermes. Ses yeux s'étrécirent. Il tendit une main suppliante.

Elle lui effleura les doigts d'une caresse furtive.

— Après Diyarbakir, murmura-t-elle.

Il attira le corps souple contre lui.

— Maintenant, grogna-t-il.

Elle fit un effort pour surmonter sa répulsion et murmura :

— Après Diyarbakir... Soyez patient.

— Ne partages-tu pas mon désir ? s'écria-t-il grisé par la chaleur du corps de la jeune fille dont il commença à caresser les rondeurs d'une main fiévreuse.

— Vous me faites mal. Quel homme ! Vous m'étouffez.

Il relâcha son étreinte. Elle s'échappa de ses bras avec un mouvement gracieux, après avoir caressé sa joue.

« Parler... Parler, dire n'importe quoi pour l'empêcher d'agir », pensa-t-elle.

— Vous ne vous rendez pas compte de votre force, dit-elle admirative.

— Mon père était un lutteur de première force et mon grand-père portait un cheval sur son dos.

— D'habitude, c'est le contraire.

— Je suis très fort à la lutte. Je ne suis jamais allé chez le dentiste. Vous avez vu mes dents ? Mes besoins sexuels sont nettement au-dessus de la moyenne nationale d'après le dernier sondage du *Cri du Peuple*.

Anicia poussa un petit cri de pudeur offensée.

— Ne rougissez pas, pure jeune fille, des nécessités de la nature. Vous-même avez un tempérament de feu. Mehmet ne se trompe pas, il connaît les femmes. A nous deux, nous ferons craquer le lit !

Anicia baissa ses beaux yeux effarouchés.

— Oh ! Monsieur Kurlu, dit-elle en s'efforçant vainement de rougir.

— Nous sommes faits l'un pour l'autre comme le doigt et l'anneau.

— Quel beau symbole ! Et tellement romantique. Nous ne devons pas ternir un amour si délicat. Voyez-vous, Mehmet, je suis réservée, farouche et vous êtes si fort, si impétueux ! Vous êtes un tigre !

— Vous commencez à m'apprécier, fit-il euphorique. Je savais bien qu'un jour ou l'autre vous viendriez manger dans ma main !

Il couvrit son bras de baisers avant de tomber à ses genoux.

— Désormais, Mehmet vivra à vos pieds ! Il se nourrira de la poussière de vos pas ! Il lui baisa les pieds. O ma déesse, tes pieds dépassent en perfection ceux de l'Artémise d'Ephèse.

Ses mains fébriles caressèrent les chevilles... remontèrent le long des jambes... s'attardèrent aux genoux, limite que s'était fixée Anicia, révulsée de dégoût, avant de porter le coup d'arrêt à l'inventaire de son admirateur, quand on frappa à la porte.

— Entrez, dit Anicia en faisant vivement un pas sur le côté.

Mlle Dieulefit entra avant que Mehmet n'ait eu le temps de se relever.

— M. Kurlu comparait mes pieds à ceux d'Artémise, dit Anicia.

— Ma foi, je n'avais pas remarqué, avoua Mlle Dieulefit. Mais je fais confiance à M. Kurlu, il a un goût exquis. Dites-moi, ma chère Anicia, n'est-ce pas à vous que j'ai prêté ma carte ?

— J'ai oublié de vous la rendre, excusez-moi, fit Anicia. Elle est sur la table.

Mehmet se dirigea vers la porte. Anicia le rejoignit et, avec un regard langoureux, murmura :

— Dommage...

Le regard, le regret, mirent le feu à Mehmet.

— Venez dans ma chambre, supplia-t-il.

— Vous me ferez faire des folies... mon tigre ! A tout
à l'heure. Soyez patient, il me faudra attendre qu'Irène
soit endormie.

— Je t'attendrai comme on attend le Paradis !

— Monsieur Kurlu, ne partez pas, fit M\ue Dieulefit.
Je veux causer, avec vous de notre excursion à l'île de
Van.

Mehmet fit quelques pas dans la nuit, grisé par la
promesse de la jeune fille, tandis que la bonne demoiselle chuchotait :

— Quel homme charmant ! Et si délicat. Avoir
remarqué que vous aviez les pieds d'Artémise, il n'y a
qu'un licencié d'Histoire de l'Art qui puisse faire un tel
compliment.

Elle rejoignit Mehmet et ils s'éloignèrent en parlant
de la suite du voyage.

Anicia posa en évidence sur la table une lettre
destinée à M\ue Dieulefit. Sans livrer leur secret, elle
indiquait qu'avec Irène, elles préféraient désormais aller
de leur côté. Elle terminait par : « A bientôt, à Marseille ». Ces derniers mots, en pensant à la promesse
faite à Rosette.

Irène entra, sombre et tourmentée. Elle constata les
préparatifs d'Anicia et dit, brusquement :

— Je ne pars pas.

— QUOI !

— Je reste, dit Irène, soudain hostile.

— Mais... pourquoi ? Pourquoi ? s'écria Anicia en
secouant la tête. Hagarde, elle porta la main à son front.
Tu me laisses tomber ?

Irène marcha de long en large dans l'espace réduit de
la chambre.

— J'existe, moi. Comprends-tu ? Je veux vivre ma vie.

— Irène, tu ne peux pas me faire ça ! Tout est arrangé. Ça y est, nous avons réussi ! Dans quelques heures nous serons chez les Kurdes !

— Les Kurdes ! Les Kurdes ! cria Irène d'une voix d'hystérique. Je ne suis pas une Kurde, moi ! Je ne vais pas sacrifier mon bonheur pour des gens que je ne connais même pas...

— Ton bonheur ? Tu parles de *ton* bonheur, quand des milliers de gens, de gosses, crèvent comme des bêtes et que tu as la chance de les aider à survivre ?

— La chance ? J'en ai une chance, la mienne, et je ne veux pas la laisser passer.

Anicia eut une brusque révélation.

— Mehmet ! C'est Mehmet ! C'est ça, ta chance ? fit-elle avec un rire cinglant.

— Tu es jalouse.

— Idiote ! Jalouse, moi ? Il y a un instant, ton Mehmet bavait sur mes pieds et il m'attend dans sa chambre.

— Je ne te crois pas. Tu inventerais n'importe quoi pour que je vienne avec toi.

— Tu es malade ? s'écria Anicia en la secouant. Ecoute, Irène, Mehmet est un mâle perpétuellement en rut. Il te veut comme il veut toutes les femmes.

Irène se dégagea avec brusquerie.

— Tu ne sais pas ce que c'est que le don total de soi. Je vois bien comment tu te comportes avec Cyrille.

Anicia rougit.

— Tu crois ça ? fit-elle d'une voix douloureuse.

— Si tu l'aimais vraiment, non seulement avec ton cœur, mais avec ton corps, rien d'autre ne compterait pour toi.

— Je l'aime totalement, dit Anicia d'une voix sans

timbre. Et pourtant, je pars. Et c'est sans doute parce que moi je suis capable de sacrifier mon propre bonheur à une cause, qu'il m'aime, lui aussi, car il est noble et généreux.

— Tu te grises de belles paroles.

— Mieux vaut se griser de belles paroles que se nourrir de bas instincts.

Elle lança son sac sur le lit et le bourra de ses affaires.

— Est-ce que tu me comprends, au moins ? fit Irène d'une voix geignarde.

— Bien sûr, ma pauvre fille.

— Tu m'en veux ?

— Ecoute Irène, fit Anicia à bout de nerfs. Ne viens plus jamais me casser les pieds. *Ciao !*

Elle boucla son sac et quitta la chambre.

Tendant l'oreille, elle entendit Irène sangloter en proférant son nom d'une voix pitoyable. Elle essuya du revers de la main les larmes qui sourdaient à ses paupières et, d'un pas ferme, se dirigea vers le parking où devait la retrouver Basnik.

12

Anicia laissa tomber son sac au pied du car.

— Vous nous quittez?

Elle releva vivement la tête et découvrit Cyrille penché à une fenêtre, le sourire aux lèvres.

— Qu'est-ce que vous faites ici? fit-elle agressive.

— Je vous attendais.

Elle demeura sans voix.

— Voyons, Anicia, une fille de l'ombre, comme vous, une conspiratrice de votre force, doit savoir que le secret de la réussite est de cacher son jeu.

— Vous saviez donc?

— Montez vous asseoir, nous avons le temps de bavarder avant l'arrivée de votre ami Basnik.

Anicia sentit son cœur fondre. Elle renifla et ravala ses larmes. Elle s'assit dans le car, mais dans la rangée opposée à celle de Cyrille.

— C'est encore Irène qui vous a tout raconté, dit-elle effondrée.

— Non, ce n'est pas Irène.

— Comment avez-vous su, alors?

— Bibalchar.

— Ah, celui-là, si je le tenais! éclata Anicia.

— J'étais présent quand il a apporté les cartons. Je

l'ai fait parler. Mis sur la voie par ce que j'ai appris, il m'a suffi d'ouvrir l'œil et de vous laisser les coudées franches avec Mehmet.

— N'allez pas croire... fit vivement Anicia.

— Croire... quoi ? fit-il avec un regard tendre.

Il vint s'asseoir auprès d'elle.

— Oh ! Cyrille... murmura-t-elle.

— Mon amour !

Il la pressa passionnément contre lui. D'une main, il lui massa la nuque, tandis que de l'autre, il caressait le visage adoré. Leurs lèvres se joignirent en un baiser vertigineux.

— Chaque fois que je vous embrasse, dit-elle songeuse, j'ai les jambes coupées.

— Même assise ?

— Même assise.

— Pensez-vous que... couchée, ce phénomène étrange se reproduirait ?

Elle laissa filtrer un regard méfiant entre ses paupières mi-closes.

— Vous n'auriez pas de sang turc dans les veines ?

— Y a-t-il un sang turc ? J'en doute, étant donné l'histoire de ce pays ; ce doit être un mélange explosif, une sorte de cocktail Molotov.

— Le cocktail Atartük !

Il rit doucement et demanda :

— Que fait-on ?

Elle se raidit et prononça d'une voix farouche :

— Je pars !

— Sans Irène ?

— Elle se dégonfle.

— Parfait, alors, je pars avec vous. A tout hasard j'ai apporté mon sac.

Elle se jeta à son cou en poussant un cri de joie.

Depuis un moment, on cognait sur la carrosserie. Enfin, ils s'en aperçurent.

— Vous direz quand vous serez prêts, dit Basnik.

— Monsieur vient avec moi, dit Anicia.

— Ça tombe bien, parce qu'il va falloir aller au palais à pied. Tishimir est tombé dans un ravin avec son camion.

Anicia, navrée, se tourna vers Cyrille. Il réfléchit rapidement.

— Pourquoi n'irions-nous pas avec le car ? dit-il. Les sacs sont déjà dans le coffre. Vous savez conduire ? demanda-t-il à Basnik.

— Pas qu'un peu, j'ai une moto et un âne.

— Vous ramènerez le car au parking.

Cyrille se mit au volant et une demi-heure plus tard, Basnik repartait pour l'hôtel, les laissant à l'*Isak Pasa Sarayi*.

Les sacs avaient été transportés dans l'enceinte du palais. Lorsque le silence se fut refermé sur eux, Cyrille et Anicia échangèrent un regard passionné.

— Je ne puis y croire, murmura Anicia en se pelotonnant contre la poitrine virile.

Ils étaient assis contre un mur. Sous la clarté lunaire, les vieilles pierres revêtaient une teinte bleuâtre qui donnait aux ruines un aspect fantasmagorique. Les murs en ruines se dressaient sur un champ d'étoiles scintillantes dans lequel se découpait le disque blafard de la lune.

Anicia émit un rire délicieusement enfantin.

— Il est tout de même merveilleux de ne pas avoir eu à sacrifier mon amour à ma mission ! Et vous, croyez-vous à ce qui vous arrive ?

— Tout à fait. Depuis longtemps je désirais connaître une jeune rebelle cabocharde pour me retrouver avec elle, par une nuit étoilée, devant le mont Ararat, dans l'attente de Kurdes qui nous emmèneraient vers une destination inconnue.

Elle rit, joyeuse et tendre.

— Je vous aime... Si vous saviez combien je vous aime !

Le bruit d'une voiture s'arrêtant devant l'enceinte les fit bondir sur leurs pieds.

— Attendez, recommanda Cyrille à Anicia qui s'apprêtait à courir au-devant des Kurdes.

Des pas précautionneux s'approchaient. Une silhouette sombre passa devant l'embrasure d'une fenêtre.

— Nous sommes ici, indiqua Anicia.

On marchait autour de la salle. Anicia se serra contre Cyrille.

— Digor ? dit-elle d'une voix qui manquait de fermeté.

— Ne bougez pas ! ordonna Mehmet en pointant sa mitraillette.

Deux hommes se précipitèrent sur Anicia. Cyrille se rua sur eux. Après une courte empoignade, l'un des agresseurs pointa son poignard sur la gorge de la jeune fille.

— Restez tranquille, monsieur, et la vie d'Anicia ne courra aucun danger, dit Mehmet. Je ne vous veux pas de mal, ni à l'un, ni à l'autre. Tout peut se passer entre gens distingués, si chacun y met de la bonne volonté.

Il sauta du tas de pierres d'où il contrôlait la salle et donna l'ordre à l'un de ses acolytes de ligoter Cyrille.

Cyrille tendit les mains. Au moment où l'homme s'apprêtait à lui nouer les poignets, il lui porta un coup violent sous le menton. La mitraillette cracha. Les balles giclèrent à quelques pas de Cyrille.

Un hurlement s'échappa de la gorge d'Anicia. Elle sentit la pointe du poignard appuyer davantage. Une goutte de sang perla.

146

— Lache-la et occupez-vous de lui, ordonna Mehmet fou de rage.

Les deux hommes ligotèrent Cyrille. Il adressa un regard désespéré à la jeune fille. Elle s'était déjà ressaisie et s'apprêtait à la lutte.

— Monsieur, vous allez rester ici, dit Mehmet. Cela me donnera le temps de m'occuper d'Anicia comme il convient. Il s'approcha de la jeune fille. Nous avions rendez-vous cette nuit, ma douce gazelle, l'aurais-tu oublié ?

— Je devais remettre les sacs.

Il ricana et fit un geste dédaigneux.

— Vos manigances ne m'intéressent pas ; je ne suis pas un idéaliste. C'est toi que je veux.

— Jamais !

— Laissez-la ! cria Cyrille, sinon je vous casserai la gueule.

Mehmet fit entendre un rire grinçant. Ses yeux lancèrent des éclairs.

— Voyons, monsieur, votre belle langue française est suffisamment riche et précise pour éviter ce genre de raccourci anglo-saxon. Ecoutez ce que j'ai à vous dire ; Anicia va venir avec moi avec douceur, sinon, je livre Irène à la police où je compte beaucoup d'amis. Elle écopera de quinze ans de prison. Quant à vous, monsieur, que diriez-vous d'une mort accidentelle ? Le ravin est profond...

— Vous êtes fou ! cria Cyrille.

Mehmet sourit et hocha la tête.

— Fou de passion pour ma gazelle ! (Il s'approcha de Cyrille.) Qui de nous deux aura la fille, toi ou moi ? Qu'est-ce que tu paries ?

Cyrille lui cracha au visage. Mehmet essuya la souillure et asséna un coup de crosse sur le visage de Cyrille dont la tête ballotta.

— Ne le frappe pas ! cria Anicia. Il est sans défense. Ce n'est pas digne de toi, Mehmet.

— Regarde-le, ton Français !

— Il ne m'est rien. Je me suis servi de lui pour ma mission quand Irène a refusé de me suivre parce qu'elle a succombé à ta séduction.

Il eut un sourire cruel.

— Serait-ce un reproche ?

— Oui. C'est ta faute, cria fièrement Anicia. Tu abuses de ton pouvoir de séduction diabolique sur les femmes.

Il pencha la tête sur le côté et la dévisagea avec méfiance :

— Tu m'as résisté, toi ?

— Contre l'élan de mon cœur. J'avais une mission. La discipline fait la force des armées !

— Ta mission, fit Mehmet avec mépris, sauver des Turcs montagnards ! Pourquoi ne pas ouvrir un hôpital pour les chats galeux d'Istanbul ?

— J'aurais fait n'importe quoi pour ne pas succomber à ton emprise, fit-elle humblement.

— Je ne doute pas de ta sincérité, dit-il. Il y a des cris du cœur qui ne trompent pas Mehmet. Mais, j'en veux une preuve, la plus noble, la plus belle, le don de ton corps virginal !

Anicia redressa la tête et prononça d'une voix qui ne tremblait pas :

— Oui. Mais je veux un cadre digne de mon sacrifice : le temple d'Eros. Le petit temple que nous avons visité hier.

Mehmet poussa un cri sauvage et écrasa sa bouche contre les lèvres rétractées de sa victime.

— Au revoir, monsieur ! lança-t-il avec un rire sardonique à Cyrille.

Anicia mit dans le regard qu'elle tourna vers Cyrille

l'expression de toute la force de son amour. Il hocha la tête à deux reprises afin qu'elle sut qu'il avait compris le sens de son message.

Mehmet entraîna Anicia vers la voiture, suivi de ses complices.

— Vous, vous rentrez à pied, cria-t-il en leur claquant la portière au nez.

— Qu'Allah le foudroie ! dit l'un en crachant sur le sol.

— Que sa progéniture ait une tête de chien ! dit l'autre, crachant à son tour.

*
* *

Cyrille perçut des présences furtives tout autour des murs de la salle. Soudain, des hommes envahirent l'espace de tous côtés. Il les évalua à une dizaine. Ils étaient impressionnants. Des turbans délavés entouraient leurs têtes farouches. Des cartouchières se croisaient sur leurs poitrines et ils étaient armés de fusils dépareillés.

Un homme de haute stature, noble et fier, s'avança. Son turban était convenablement enroulé. Dans son visage cuivré, barré d'une moustache soignée, brillaient des yeux sombres au regard d'aigle.

— Vous êtes Digor ?

L'homme garda le silence. Cyrille fit une nouvelle tentative en anglais. Cette fois, l'homme répondit dans la même langue.

— Oui, je suis Digor. Qui êtes-vous ?

Il s'exprimait avec un fort accent et une certaine application. Cyrille raconta en termes concis ce qui s'était déroulé. Les deux hommes employaient le même langage d'autorité et d'action. Tout alla très vite. Cyrille fut débarrassé de ses liens quand Digor eut vérifié son passeport et regardé attentivement la photo polaroïd représentant Cyrille et Anicia, chez Sephan bey.

— Vous êtes peut-être à la solde de nos ennemis et ces médicaments ont peut-être été empoisonnés ? C'est déjà arrivé, fit-il en réponse aux protestations indignées de Cyrille.

— Ecoutez, Digor, tout est possible ; vous-même n'êtes peut-être qu'un provocateur. Qu'est-ce qui me prouve que vous êtes Digor ?

La remarque fit sourire le Kurde.

— On voit bien que vous ne connaissez pas notre pays. Personne n'oserait se faire passer pour Digor.

— Anicia Erksan pourra confirmer mes dires. Il faut la retrouver très vite. Le temps presse. Elle est entre les mains d'un déséquilibré.

*
* *

— Les chacals ! Que maudite soit leur descendance ! hurla Mehmet. Ils m'ont filouté : il n'y a plus d'essence !

Après des tressautements d'agonie, la voiture s'était arrêtée.

— Allez chercher de l'essence, je vous attendrai dans la voiture, proposa Anicia.

Il essuya la sueur qui ruisselait sur son front et jeta avec un air rusé :

— Non, mon cœur en sucre, tu serais à la merci d'une mauvaise rencontre. Nous continuerons pédestrement. Il la dévisagea : Tu vas faire honneur à ta parole ?

— Me ferais-tu l'affront d'en douter ?

Il plongea son regard halluciné dans les yeux limpides et y lut le feu d'une passion dévorante.

— Nous planerons au septième ciel ! s'écria-t-il.

Ils se mirent en marche. Au bout de quelques minutes, Anicia s'arrêta.

— Pressons, fit Mehmet.

— J'ai mal aux pieds.

— Fais un effort : pense aux joies du paradis.

— Tu devrais me porter.

Mehmet réfléchit.

— Non, dit-il, ce n'est pas possible, je ne peux pas te porter pendant six kilomètres.

— Ton grand-père portait bien un cheval ?

— Autre temps, autres mœurs, dit-il en la tirant par la main.

Elle suivit en traînant les pieds, mais son esprit galopait.

« J'espère que Cyrille a bien saisi le message que j'ai glissé dans mon discours à ce fou de Mehmet ! »

Elle avait indiqué le temple d'Eros, un délicieux petit édifice de marbre qui se trouvait dans la vallée. Une source jaillissait et retombait dans un bassin. Les cœurs esseulés venaient y puiser l'eau qui favorisait les unions. L'autel de l'Amour, le lit d'Eros, était en marbre. Il occupait le centre d'une loge dont les fresques usées retraçaient des rites orgiastiques.

C'est le cadre que Mehmet avait jugé digne de la célébration de ses noces païennes avec sa victime.

Le temple se révéla éclairé par la lune. Sa blancheur spectrale tranchait sur la montagne noyée dans l'ombre. Il apparaissait nimbé du mystère des rites voués au dieu auquel il avait été consacré.

— Nous y sommes, dit Cyrille.

La voiture qu'ils avaient trouvée, avec la mitraillette abandonnée, avait confirmé le message d'Anicia.

Digor déploya ses hommes autour de l'édifice.

— Voulez-vous une arme ? proposa-t-il à Cyrille.

Il s'effaçait dans ce qu'il considérait comme une affaire d'honneur. Chez les Kurdes, l'enlèvement d'une femme est un crime qui se lave dans le sang.

— Je ne pense pas qu'il soit armé, dit Cyrille.

Le Kurde lui tendit son poignard.

— Il a sûrement un couteau.

Les deux hommes échangèrent un regard d'estime et Cyrille pénétra dans le temple. Un bourdonnement de voix lui parvint. Il avança avec précaution, se dissimula derrière une colonne et glissa un regard dans le patio.

Le spectacle qui s'offrit à lui le cloua sur place.

Dans le bassin, Mehmet, en caleçon rayé, de l'eau jusqu'au nombril, recevait l'aspersion des mains d'Anicia.

Cyrille se frotta les yeux. Il s'attendait à une scène terrible : un viol sauvage, des cris, des sanglots... Du Grand-Guignol. Il tombait sur une baignade baptismale !

Il entendit, avec effarement, Anicia psalmodier :

« O Eros...
Reçois, en ce lieu consacré
Au culte de l'Amour,
Mehmet, le Tigre des tigres
Le plus vaillant des amants. »

Mehmet poussait des cris frileux.

— L'eau me ramollit, dit-il. Assez de poésie, mon loukoum céleste, passons à l'acte.

— Oui, mon seigneur, dit Anicia, mais auparavant, je dois recevoir l'eau lustrale à mon tour.

— Est-ce bien nécessaire ?

— C'est indispensable, selon le rite. Ne nous l'as-tu pas expliqué, hier, quand nous avons visité ce temple ? Sans quoi l'union du corps et de l'âme ne serait pas réalisée.

— Tu as raison, le doux miel de Smyrne coule de tes lèvres.

— Kurlu ! cria Cyrille.

En un bond, Anicia fut dans les bras de Cyrille, tandis que Mehmet sortait du bassin et se précipitait sur le tas de ses vêtements.

Digor apparut, entouré de ses Kurdes. Mehmet, effrayé, eut un mouvement de recul.

— Je veux seulement mettre mon pantalon, dit-il.

Le couteau qui s'y trouvait dissimulé tomba sur le marbre des dalles.

— Je veux mettre mon pantalon, fit Mehmet.

— Je t'ai promis de te casser la figure, fit Cyrille.

Mehmet grimaça effroyablement.

Cyrille dénuda son torse et se déchaussa.

— Comme ça, dit-il, nous sommes à égalité.

Mehmet n'avait pas menti en prétendant qu'il pratiquait la lutte, sport en honneur dans son pays, mais succombant à l'emphase nationale, il en avait rajouté. Il était moins fort qu'il ne le disait et hélas pour lui, qu'il ne le croyait.

Cyrille, aguerri par le sport et que son stage chez les dockers de Marseille avait initié aux violentes confrontations, eut vite fait de dominer le Turc. Se voyant battu devant la femme qui lui était ravie, Mehmet se permit des traîtrises qui exaspérèrent Cyrille. Ce qui aurait pu être un combat loyal dégénéra en une sévère correction qui se termina par la chute de Mehmet dans le bassin. Les Kurdes amateurs de pugilat s'esclaffèrent.

Anicia, tout en riant, salua la déconfiture du *macho*.

« O Eros...
Reçois, en ce lieu mouillé,
Mehmet lamentable héros,
Qui n'était qu'un tigre de papier. »

— Que voulez-vous qu'on en fasse ? demanda Digor.

— Il est capable de se venger sur Irène, dit Anicia.

— Emmenons-le avec nous, décida Cyrille.

Digor haussa le sourcil. Un bref coup d'œil sur Anicia qui contemplait Cyrille avec extase, suffit à l'éclairer.

— Je ne me sépare pas d'elle, dit Cyrille.

— C'est une Kurde, fit Digor.

Cyrille referma un bras sur Anicia qui se blottissait contre son épaule.

— Vous avez un proverbe, dit-il avec un sourire : « Celui qui ne craint pas sa femme est moins qu'un homme. »

EPILOGUE

APRÈS avoir passé deux mois avec les rebelles, Cyrille et Anicia, grâce à une filière clandestine, parvinrent à Chypre où une merveilleuse surprise attendait la jeune fille.

Le yacht de Cyrille était ancré dans le port paisible de Famagouste. Les lettres en cuivre de son nom, *Philogène,* étincelaient au soleil.

— Philogène était athénien, expliqua Cyrille, il a fondé Phocée, sur la côte d'Asie Mineure. Les Phocéens, attaqués par le tyran Harpage, durent abandonner leur ville. Un de leurs bateaux aborda les côtes de la Gaule, et c'est ainsi que Massilia, notre Marseille, fut fondée en l'an 600 avant Jésus-Christ.

Le soleil couchant embrasait les collines. Le yacht blanc leva l'ancre. Une étrange émotion saisit Anicia, qui se serra contre Cyrille.

— Dans cinq jours nous serons de retour à Marseille, fit-il.

Des pensées vagues occupaient l'esprit d'Anicia.

— Si j'ai un fils, dit-elle en secouant ses mèches rebelles, je l'appellerai Philogène.

— Ah! non, protesta Cyrille, tous ses petits copains se moqueront de lui.

— Ah ! vous, mêlez-vous de vos affaires !

— C'est ce que je fais.

Elle leva vers lui de grands yeux bleus dont l'éclat illuminait son jeune visage empreint d'une grâce sauvage.

— Je n'en suis pas si sûre ! dit-elle avec défi.

— Moi, si.

— Moi, non !

Il la saisit par les cheveux. Elle poussa un petit cri vite étouffé par les lèvres viriles. Elle fondit aussitôt, son corps s'embrasa, ses jambes fléchirent. Elle s'accrocha aux solides épaules.

Lorsque leurs bouches se défirent, elle murmura d'une petite voix brisée :

— Nous l'appellerons Philogène.

D'une voix tout aussi alanguie, il murmura :

— C'est ce que nous verrons !

COMMENT NE PLUS ÊTRE TIMIDE

Le mot "timidité" recouvre en fait toute une série de malaises allant du manque d'assurance à la difficulté de communiquer avec les autres. Cause d'échecs sentimentaux et professionnels, elle peut mener au désespoir ou aux perversions.

Le docteur Jacqueline RENAUD a utilisé les applications modernes de la psychologie du comportement, et sa longue expérience de psychothérapeute, pour proposer un véritable "mode d'emploi de soi-même" qui déborde largement la question de la timidité. Ce livre, en effet, est un itinéraire qui, en plusieurs "séances", et avec de nombreux tests, vous entraine vers la connaissance de votre personnalité, de votre forme de timidité, puis dans la pratique d'exercices qui peuvent transformer votre vie.

Instrument pour s'apprendre à mieux vivre, il offre aux parents de nombreux moyens d'aider leurs enfants à affronter l'avenir avec confiance.

Un volume de 290 pages 5 x 8 — $7.95.

LES RICHES SONT DIFFÉRENTS

Paul, le richissime banquier américain. Dinah, la jeune Anglaise pauvre et ambitieuse... Un homme, une femme qui dominent cette histoire couleur d'amour et d'or. Couleur de sang, aussi.

Entre la très vieille Europe et l'Amérique encore jeune, sur un fond d'événements qui bouleversent le monde — la Grande Dépression, la Seconde Guerre mondiale — se déroule une tapisserie aussi longue que la "Tapisserie de Bayeux", aussi somptueuse que la "Dame à la Licorne"; une tapisserie aux multiples personnages: les jeunes et les moins jeunes, les doux et les violents, les avides et les désintéressés, les purs et les retors..., tous pris dans un maelström de passions, tous dominés par la complexe figure de Paul, manipulateur de marionnettes et marionnette lui-même, manipulé dès son enfance par un rude ennemi: l'impitoyable maladie.

Certains meurent, d'autres naissent. L'influence de ceux-là se prolonge dans la vie de ceux-ci. On songe à la tragédie grecque, où la vengeance des dieux se poursuivait d'une génération à l'autre...

Et, sans jamais se perdre parmi les fils savamment entrecroisés de son ouvrage, Susan Howatch, dont on n'a pas oublié le "Penmarric", mène, cette fois encore, la ronde de ses personnages autour d'une ancestrale demeure: Mallingham.

Un volume de 608 pages format 6 1/8 x 9 1/2 — $16.95

ÉCRIRE EN LETTRES MOULÉES

Veuillez me faire parvenir le volume
Les riches sont différents
Ci-joint le paiement, soit $16.95

Nom..

Adresse ....

Ville.. Code.............

FAIRE CHÈQUE OU MANDAT-POSTE AU NOM DE

LES PRESSES DE LA CITÉ LTÉE
9797 rue Tolhurst, Montréal, P.Q. H3L 2Z7

Achevé d'imprimer
en avril mil neuf cent quatre-vingt-deux
sur les presses de l'Imprimerie Gagné Ltée
Louiseville - Montréal.
Imprimé au Canada